KB076930

헬라어 쓰기성경

요한서신들과 유다서

- 요한일서 · 요한이서 · 요한삼서 · 유다서 -

언약성경연구소

케타브 프로젝트: 헬라어 쓰기성경 – 요한서신들과 유다서

발 행 | 2024년 2월 20일
저 자 | 이학재
발행인 | 최현기
편집 · 디자인 | 허동보

등록번호 | 제399-2010-000013호
발행처 | 홀리북클럽
주 소 | 경기도 남양주시 진접읍 내각2로12 (070-4126-3496)

ISBN | 979-11-6107-053-7
가 격 | 14,500원

כתב Project

헬라어쓰기성경

요한서신들과 유다서

- 요한일서 · 요한이서 · 요한삼서 · 유다서 -

영·한·그리스어
대역대조 쓰기성경

언약성경연구소

* 본 책에는맛싸성경(한글), 개역한글(한글), Westcott-Hort Greek NT(헬라어), NET(영어) 성경 역본이 사용되었으며,
KoPub 바탕체, KoPub 돋움체, Noto Serif Display, 세방체 폰트가 사용되었습니다.
헬라어 알파벳표와 모음표는 『왕초보 헬라어 펜습자』(허동보 저) 저자의 동의를 받고 첨부하였습니다.
맛싸성경3은 저자 이학재 교수가 원문성경에서 직접 번역한 번역물로 번역 저작물이 저작권협회에 접수된 개인번역입니다.

목 차

이학재 Lee Hakjae · Covenant University 부총장
· 월간 맛싸 대표 · 맛싸성경 번역자 · 언약성경협회장

성경은 말씀으로 읽고 소리내서 낭독하는 훈련이 필요하다. 또한 성경은 precept, 즉 글로 적은 글이다. 십계명도 하나님께서 적어 주신 것이고 구약성경, 신약성경 모두다 사람들이 손으로 필사하여 전해온 것이다. 특히 시편에서는 하나님의 말씀을 '호크'[규례, 교훈]라고 부르는데 이것은 '하카크' 즉 '새기다, 기록하다'는 의미이다. 성경은 1455년에 라틴어를 출간하기까지 구약은 서기관들에 의해서 두루마리에 필사를 통해서 기록되었고 신약 역시 대문자, 소문자 등을 통해서 손으로 직접 적었다.

이같은 성경은 소리내 읽는 '낭독'과 글로 적는 '호크'[precept]로 기록된 말씀이다. 물론 타자를 치는 필사를 비롯하여 다양한 방법이 있지만, 특히 AI 시대에는 주관성과 개인의 특성을 가진 영성이 품어 나오는 적기 성경 즉 '필사 성경'이 필요하다. 시중에 한글 필사성경, 영어 등은 이미 출판되어 있지만 원문 필사는 아직 나오지 않았다. 원문 필사를 위해서는 원문만 넣을 것이 아니라 한글의 공적성경[개역, 개역개정]과 또한 사역이지만 원문에서 번역한 것이 필요한데 이런 면에서 '맛싸 성경'은 중요한 역할을 할 것이다. 아울러 영역본도 함께 제공되어 원문과 함께 번역본들을 보게 되고 자신의 필사 성경도 각권으로 남게 될 것이다.

성경을 적는다는 것은 참으로 중요하다. 기도하면서 성경에서도 달려가면서도 성경을 읽게 하라는 말씀은 성경에도 기록되어 있다[하박국 2장]. 많은 사람들이 성경을 덮어두거나, '말아 놓았다'. 이제는 적어서 펼쳐 놓아야 한다. 이런 면에서 족자, 액자들 성경 원문 쓰기를 통해서 원문을 보고 묵상하고 더욱 말씀을 가시적으로 보며 그 말씀의 생명력을 가지는 삶을 살아야 할 것이다. 이 모든 것이 '적는 것'[כתב 케타브]에서 시작된다. 이 시리즈는 구약 전권 신약 전권의 '쓰기', '적기'를 출간하는 것으로 생각하고 있다. 매일 일정한 양을 쓰면서 원문을 자유롭게 이해하고 원문의 바른 의미, 성경의 의미를 바르게 이해해서 말씀에 근거를 둔 그러한 건강한 말씀 중심의 삶을 살아가시기를 소원한다.

저자 이 학 재

허동보 Huh Dongbo · 수현교회 담임목사 · Covenant University 통합과정 중
· 왕초보 히브리어/헬라어 펜습자 저자

교회 역사는 대부분 이단으로부터 교회를 보호하는 역사였습니다. 사도들과 교부들의 가르침, 공의회를 통한 결정들은 우리 신앙의 선배들이 이단으로부터 교회를 지키고자 목숨까지 걸었던 몸부림이라고 해도 과언이 아닙니다. 그 신념, 그 몸부림의 근거는 바로 성경이었습니다. 하나님의 말씀이자 우리 신앙생활의 원천인 성경은 수천년이 지난 이 시대를 살아가는 우리가 쉽게 읽을 수 있도록 전문가들을 통해 비교적 잘 번역되어 있습니다. 그럼에도 불구하고 말씀을 사랑하고 매일 묵상하는 우리 그리스도인들이 히브리어와 헬라어를 배워야 하는 까닭은 무엇일까요?

첫째로 지금도 교회를 노리고 핍박하는 이들로부터 주님의 몸 된 교회를 지키기 위해서입니다. 아무리 번역이 잘 되었다고 하더라도 해당 언어가 가진 고유의 뉘앙스와 의미를 동일하게 전달하는 것은 불가능합니다. 따라서 우리는 원전을 살펴봄으로써 말씀에 대한 왜곡과 오해를 헤쳐 나가야 합니다. 둘째로 언어의 한계성 때문입니다. 성경이 쓰여진 시기의 사회적 배경과 문학적 장치들을 더 잘 전달받기 위해서 우리는 히브리어와 헬라어를 배워야 합니다. 우리는 해당 언어를 통해 한글성경에서 느끼기 힘든 시적 운율과 다양한 의미들을 더욱 세밀하게 들여다볼 수 있으며, 이 과정에서 더 큰 은혜를 느낄 수 있습니다. 셋째로 말씀을 사모하기 때문입니다. 다른 언어를 배운다는 것은 쉽지 않습니다. 그 어려움보다 말씀에 대한 사모가 더욱 간절하기에 우리는 기꺼이 시간과 노력을 할애할 수 있습니다. 이는 마치 해리포터를 사랑하는 사람이 영어를 배우고, 톨스토이를 사랑하는 사람이 러시아어를 배우는 것처럼 원전에 더 가까워지고자 하는 욕망은 말씀을 사모하는 이들이라면 거스를 수 없을 것입니다.

이런 관점에서 언약성경협회와 언약성경연구소의 사역은 하나님의 말씀을 열정적으로 소망하는 우리 그리스도인들에게 있어서 꼭 필요한, 그리고 꼭 이루어 나가야 할 사명이 아닌가 합니다. 이에 말씀을 사모하는 많은 분들이 케타브 프로젝트에 동참하길 소망합니다. 아울러 이학재 교수님을 통해 영광스럽게도 편집과 디자인으로 이 프로젝트에 동참하게 된 것에 대해 주님께 감사드립니다.

편집자

헬라어쓰기성경 활용법

이 책의 구조와 활용법에 대해 알려드립니다.

1. 왼쪽 페이지는 헬라어 성경인 Westcott-Hort Greek NT 와 더불어 맛싸성경과 함께 영문역본 NET2를 대조하였습니다.

   - 맛싸성경은 저자 이학재 박사가 원문성경에서 직접 번역한 번역물로 번역 저작물이 저작권협회에 접수된 개인 번역입니다.

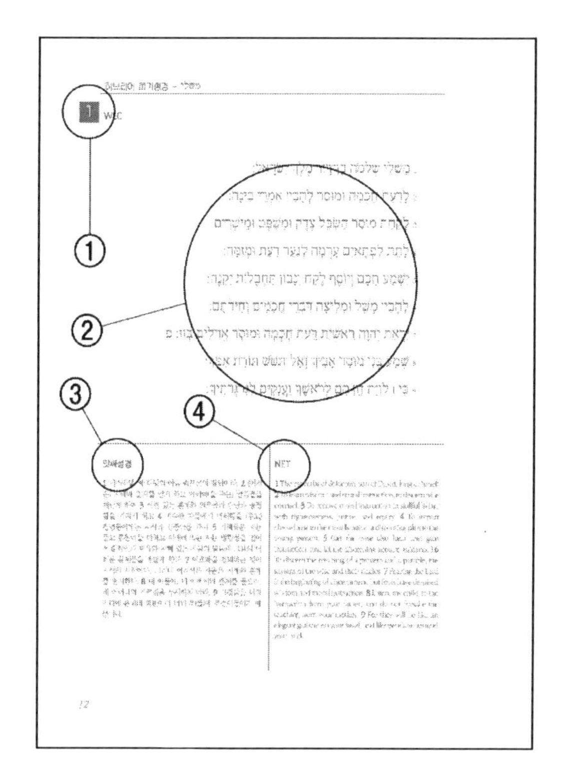

2. 왼쪽 페이지 좌상단에 위치한 숫자는 각 장을 말합니다. 각 절은 본문에 포함되어 있습니다.

   ① 몇 장인지 나타냅니다.
   ② 헬라어 본문입니다.
   ③ 맛싸성경 본문입니다.
   ④ NET2 본문입니다.

3. 여백을 넉넉히 두어 필사와 함께 성경공부를 위한 노트로 사용할 수 있습니다.

* 헬라어쓰기성경을 통해 하나님의 은혜가 더욱 풍성하고 가득한 신앙의 여정이 되시길 소망합니다.

헬라어 알파벳

대문자	소문자	이 름	대문자	소문자	이 름
Α	α	알파	Ν	ν	뉘
Β	β	베타	Ξ	ξ	크시
Γ	γ	감마	Ο	ο	오미크론
Δ	δ	델타	Π	π	피
Ε	ε	엡실론	Ρ	ρ	로
Ζ	ζ	제타	Σ	σ / ς	시그마
Η	η	에타	Τ	τ	타우
Θ	θ	테타	Υ	υ	윕실론
Ι	ι	이오타	Φ	φ	퓌
Κ	κ	캅파	Χ	χ	키
Λ	λ	람다	Ψ	ψ	프시
Μ	μ	뮈	Ω	ω	오메가

헬라어 모음 vowel

계열 / 구분	[아] 계열	[에] 계열	[이] 계열	[오] 계열	[우] 계열
단모음	α	ε	ι	ο	υ
장모음	α	η	ι	ω	υ
ι 이오타 하기	ᾳ	ῃ		ῳ	
그 외 이중모음	αι αυ [아이] [아우]	ει ευ [에이] [유]		οι ου [오이] [우]	υι [위]

헬라어 모음은 위 표를 보면 알 수 있듯이 전혀 어려울 것이 없습니다. '아, 에, 이, 오, 우'만 잘 외우고 있으면 됩니다. 구체적인 발음은 『왕초보 헬라어 펜습자』(허동보 저) 제 2 장 헬라어 모음편을 참조하세요.

약숨표 smooth breathing	ἀ[아] ἐ[에] ἰ[이] ὀ[오] ὐ[우] ἠ[에] ὠ[오]
강숨표 rough breathing	ἁ[하] ἑ[헤] ἱ[히] ὁ[호] ὑ[후] ἡ[헤] ὡ[호]

■ 꼭 기억해야 하는 '숨표'breathings ᾿ ῾

헬라어 모음에서 정말 중요한 것 한 가지가 더 있습니다. 바로 숨표 breathings 입니다. 숨표에는 '강숨표'rough breathing 와 '약숨표'smooth breathing 가 있습니다. 일반적으로는 약숨표가 주로 사용되지만, 종종 강숨표가 붙은 단어들이 등장합니다. 약숨표가 붙은 단어는 원래 음가 그대로 읽어주면 되지만, 강숨표가 붙은 단어는 'ㅎ'[h] 발음을 넣어서 이름 그대로 '거칠게'rough 읽어줍니다. 이중모음에서 숨표는 뒷 글자에 붙으며, 약숨표와 강숨표는 같은 모양, 반대 방향입니다. 가령 '날'day 을 의미하는 *ἡμέρα* 라는 단어는 '에메라'가 아니라 '헤메라'로 읽습니다. 작은 따옴표처럼 생긴 저 숨표를 잘 체크해야 합니다.

Ἰωάννου ἐπιστολὴ α΄

-요한일서-

요한일서는 사도 요한이 쓴 편지로, 하나님과의 교제, 영생, 사랑, 진리에 대한 중요한 가르침을 담고 있습니다. 예수 그리스도를 믿는 자는 영원한 생명을 얻고 하나님과 교제할 수 있으며, 서로 사랑하고 진리 안에 거해야 한다는 요한의 메시지를 전달합니다. 또한, 그리스도를 부인하는 거짓 가르침에 대해 경고하며, 죄를 자백하고 회개하는 자는 하나님과의 교제를 회복할 수 있다고 강조합니다. 요한일서는 단순히 신앙을 고백하는 것 이상으로, 하나님의 말씀을 실천하는 삶을 살도록 우리를 도전합니다.

1 Westcott-Hort Greek NT

1 Ὃ ἦν ἀπ' ἀρχῆς, ὃ ἀκηκόαμεν, ὁ ἑωράκαμεν τοῖς ὀφθαλμοῖς ἡμῶν, ὃ ἐθεασάμεθα καὶ αἱ χεῖρες ἡμῶν ἐψηλάφησαν περὶ τοῦ λόγου τῆς ζωῆς.
2 καὶ ἡ ζωὴ ἐφανερώθη, καὶ ἑωράκαμεν καὶ μαρτυροῦμεν καὶ ἀπαγγέλλομεν ὑμῖν τὴν ζωὴν τὴν αἰώνιον ἥτις ἦν πρὸς τὸν πατέρα καὶ ἐφανερώθη ἡμῖν.
3 ὃ ἑωράκαμεν καὶ ἀκηκόαμεν, ἀπαγγέλλομεν καὶ ὑμῖν, ἵνα καὶ ὑμεῖς κοινωνίαν ἔχητε μεθ' ἡμῶν. καὶ ἡ κοινωνία δὲ ἡ ἡμετέρα μετὰ τοῦ πατρὸς καὶ μετὰ τοῦ υἱοῦ αὐτοῦ Ἰησοῦ Χριστοῦ.
4 καὶ ταῦτα γράφομεν ἡμεῖς, ἵνα ἡ χαρὰ ἡμῶν ἡ πεπληρωμένη.

맛싸성경

1 처음부터 있었던 것으로 우리가 들어왔던 것이며 우리 눈들로 보아왔던 것이며 우리가 보았고 또 우리 손들로 생명의 그 말씀에 대하여 만졌던 것이다. 2 그리고 그 생명이 나타났으며 그리고 우리는 보아왔고 또 우리는 증거하며 영원한 생명을 너희에게 전파하니 이것은 아버지와 함께 있던 것이며 우리에게 나타났던 것이다. 3 우리가 보아왔고 또 우리가 들어왔던 것을 우리가 또한 너희에게 전파하여 너희가 우리와 함께 교제를 가지려 함이다. 우리의 교제는 아버지와 함께 그리고 그의 아들 예수 그리스도와 함께 있는 것이다. 4 그리고 우리가 이것들을 기록하여 너희의 기쁨이 가득해지게 함이다.

NET

1 This is what we proclaim to you: what was from the beginning, what we have heard, what we have seen with our eyes, what we have looked at and our hands have touched (concerning the word of life— 2 and the life was revealed, and we have seen and testify and announce to you the eternal life that was with the Father and was revealed to us). 3 What we have seen and heard we announce to you too, so that you may have fellowship with us (and indeed our fellowship is with the Father and with his Son Jesus Christ). 4 Thus we are writing these things so that our joy may be complete.

1 Westcott-Hort Greek NT

5 Καὶ ἔστιν αὕτη ἡ ἀγγελία ἣν ἀκηκόαμεν ἀπ' αὐτοῦ καὶ ἀναγγέλλομεν ὑμῖν, ὅτι ὁ θεὸς φῶς ἐστιν καὶ σκοτία οὐκ ἔστιν ἐν αὐτῷ οὐδεμία.
6 Ἐὰν εἴπωμεν ὅτι κοινωνίαν ἔχομεν μετ' αὐτοῦ καὶ ἐν τῷ σκότει περιπατῶμεν, ψευδόμεθα καὶ οὐ ποιοῦμεν τὴν ἀληθείαν·

맛싸성경

5 그리고 이것은 우리가 그에게서부터 들어왔던 그 '전하는 말씀'이며 또 너희에게 전하는 것이니 곧 하나님은 빛이시라. 그리고 그분 안에는 어두움이 조금도 없으시니라. 6 만일 우리가 그분과 함께 교제를 가지고 있다고 말하면서 또 우리가 어두움 가운데 걷는다면 우리는 거짓말하고 또한 그 진리를 행하지 않는다.

NET

5 Now this is the gospel message we have heard from him and announce to you: God is light, and in him there is no darkness at all. 6 If we say we have fellowship with him and yet keep on walking in the darkness, we are lying and not practicing the truth.

1 Westcott-Hort Greek NT

7 ἐὰν δὲ ἐν τῷ φωτὶ περιπατῶμεν, ὡς αὐτός ἐστιν ἐν τῷ φωτὶ, κοινωνίαν ἔχομεν μετ' ἀλλήλων καὶ τὸ αἷμα Ἰησοῦ τοῦ υἱοῦ αὐτοῦ καθαρίζει ἡμᾶς ἀπὸ πάσης ἁμαρτίας.
8 ἐὰν εἴπωμεν ὅτι ἁμαρτίαν οὐκ ἔχομεν, ἑαυτοὺς πλανῶμεν καὶ ἡ ἀλήθεια οὐκ ἔστιν ἐν ἡμῖν.
9 ἐὰν ὁμολογῶμεν τὰς ἁμαρτίας ἡμῶν, πιστός ἐστιν καὶ δίκαιος, ἵνα ἀφῇ ἡμῖν τὰς ἁμαρτίας καὶ καθαρίσῃ ἡμᾶς ἀπὸ πάσης ἀδικίας.
10 ἐὰν εἴπωμεν ὅτι οὐχ ἡμαρτήκαμεν, ψεύστην ποιοῦμεν αὐτὸν καὶ ὁ λόγος αὐτοῦ οὐκ ἔστιν ἐν ἡμῖν

맛싸성경

7 그러나 만일 우리가 빛에 걷는다면 그분 자신이 빛에 계신 것과 같이 우리도 다른 사람들과 함께 교제를 가지며 그리고 그분의 아들 예수 그리스도의 피가 우리를 모든 죄에서부터 씻으시지만 **8** 만일 우리가 죄를 가지고 있지 않다고 말한다면 자신들을 속이는 것이며 그리고 그 진리가 우리 안에 있지 않다. **9** 만일 우리가 우리의 죄들을 고백하면 그분은 신실하시고 또 의로우시니 우리의 죄들을 우리에게서 용서하시며 우리를 모든 불의에서 씻으신다. **10** 만일 우리가 죄짓지 않아왔다고 말한다면 우리는 그분을 거짓말쟁이로 만드는 것이며 또 그분의 그 말씀이 우리 안에 있지 않다.

NET

7 But if we walk in the light as he himself is in the light, we have fellowship with one another and the blood of Jesus his Son cleanses us from all sin. **8** If we say we do not bear the guilt of sin, we are deceiving ourselves and the truth is not in us. **9** But if we confess our sins, he is faithful and righteous, forgiving us our sins and cleansing us from all unrighteousness. **10** If we say we have not sinned, we make him a liar and his word is not in us.

2 Westcott-Hort Greek NT

1 Τεκνία μου, ταῦτα γράφω ὑμῖν ἵνα μὴ ἁμάρτητε. καὶ ἐάν τις ἁμάρτῃ παράκλητον ἔχομεν πρὸς τὸν πατέρα Ἰησοῦν Χριστὸν δίκαιον·
2 καὶ αὐτὸς ἱλάσμος ἐστιν περὶ τῶν ἁμαρτιῶν ἡμῶν, οὐ περὶ τῶν ἡμετέρων δὲ μόνον ἀλλὰ καὶ περὶ ὅλου τοῦ κόσμου.

맛싸성경

1 나의 자녀들아! 내가 이것들을 너희에게 쓰니 너희로 죄를 짓지 않게 함이다. 그리고 만일 누구든지 죄를 지으면 우리는 아버지에 대하여 중재자를 가지고 있으니 의로우신 예수 그리스도이시다. **2** 또 그분 자신은 우리 죄들에 대한 속죄제물이시니 단지 우리들에 대한 것뿐만 아니라 또한 세상의 모든 자들에 대한 것이다.

NET

1 (My little children, I am writing these things to you so that you may not sin.) But if anyone does sin, we have an advocate with the Father, Jesus Christ the Righteous One, **2** and he himself is the atoning sacrifice for our sins, and not only for our sins but also for the whole world.

2 Westcott-Hort Greek NT

3 Καὶ ἐν τούτῳ γινώσκομεν ὅτι ἐγνώκαμεν αὐτὸν ἐὰν τὰς ἐντολὰς αὐτοῦ τηρῶμεν.
4 ὁ λέγων ὅτι ἔγνωκα αὐτὸν καὶ τὰς ἐντολὰς αὐτοῦ μὴ τηρῶν, ψεύστης ἐστὶν καὶ ἐν τούτῳ ἡ ἀληθεία οὐκ ἔστιν·
5 ὃς δ' ἂν τηρῇ αὐτοῦ τὸν λόγον, ἀληθῶς ἐν τούτῳ ἡ ἀγάπη τοῦ θεοῦ τετελείωται ἐν τούτῳ γινώσκομεν ὅτι ἐν αὐτῷ ἐσμεν.
6 ὁ λέγων ἐν αὐτῷ μένειν ὀφείλει καθὼς ἐκεῖνος περιεπάτησεν καὶ αὐτὸς περιπατεῖν.

맛싸성경

3 그리고 만일 그분의 명령을 지키면 우리가 그분을 알아왔다는 것을 이것으로 우리는 안다. 4 내가 그분을 알아왔다고 말하는 자가 그리고 그분의 명령들을 지키지 않으면 그는 거짓말쟁이이며 또 그 진리가 그 안에 있지 않다. 5 그분의 말씀을 지키는 자는 참으로 그 안에서 하나님의 사랑이 완성되어졌다. 이것으로 우리가 그분 안에 있는 것을 우리는 안다. 6 그분 안에 거한다고 말하는 자 그가 해야 하는데 그분이 걸었던 것 같이 그렇게 그도 걷는 것이다.

NET

3 Now by this we know that we have come to know God: if we keep his commandments. 4 The one who says "I have come to know God" and yet does not keep his commandments is a liar, and the truth is not in such a person. 5 But whoever obeys his word, truly in this person the love of God has been perfected. By this we know that we are in him. 6 The one who says he resides in God ought himself to walk just as Jesus walked.

2 Westcott-Hort Greek NT

7 Ἀγαπητοί, οὐκ ἐντολὴν καινὴν γράφω ὑμῖν ἀλλ' ἐντολὴν παλαιὰν ἣν εἴχετε ἀπ' ἀρχῆς· ἡ ἐντολὴ ἡ παλαιά ἐστιν ὁ λόγος ὃν ἠκούσατε.

8 πάλιν ἐντολὴν καινὴν γράφω ὑμῖν ὅ ἐστιν ἀληθὲς ἐν αὐτῷ καὶ ἐν ὑμῖν, ὅτι ἡ σκοτία παράγεται καὶ τὸ φῶς τὸ ἀληθινὸν ἤδη φαίνει.

9 ὁ λέγων ἐν τῷ φωτὶ εἶναι καὶ τὸν ἀδελφὸν αὐτοῦ μισῶν ἐν τῇ σκοτίᾳ ἐστὶν ἕως ἄρτι.

10 ὁ ἀγαπῶν τὸν ἀδελφὸν αὐτοῦ ἐν τῷ φωτὶ μένει καὶ σκάνδαλον ἐν αὐτῷ οὐκ ἔστιν·

11 ὁ δὲ μισῶν τὸν ἀδελφὸν αὐτοῦ ἐν τῇ σκοτίᾳ ἐστὶν καὶ ἐν τῇ σκοτίᾳ περιπατεῖ καὶ οὐκ οἶδεν ποῦ ὑπάγει, ὅτι ἡ σκοτία ἐτύφλωσεν τοὺς ὀφθαλμοὺς αὐτοῦ.

맛싸성경

7 사랑하는 자들아! 내가 새 명령을 너희에게 쓰는 것이 아니라 그러나 너희가 처음부터 가졌던 옛 명령들이다. 그 옛 명령(들)은 너희가 처음부터 들었던 그 말씀이다. **8** 다시 내가 너희에게 새 명령을 쓰노니 그 안에서와 너희 안에서 그것은 참된 것으로 그 어두움이 지나갔고 참 빛이 이미 비춰고 있다. **9** 그 빛에 있다고 말하는 자가 또 그의 형제를 미워하고 있으면 지금까지 그는 그 어두움에 있다. **10** 그의 형제를 사랑하는 자는 그는 그 빛 가운데 거하며 그리고 그 안에서 넘어지게 하는 것이 없다. **11** 그러나 그의 형제를 미워하는 자는 그는 그 어두움에 있으며 또 그 어두움 가운데 그는 걸으며 또 그가 어디로 가고 있는지 알아온 것이 아니니 이는 어두움이 그의 눈들을 가렸다.

NET

7 Dear friends, I am not writing a new commandment to you, but an old commandment which you have had from the beginning. The old commandment is the word that you have already heard. **8** On the other hand, I am writing a new commandment to you, which is true in him and in you, because the darkness is passing away and the true light is already shining. **9** The one who says he is in the light but still hates his fellow Christian is still in the darkness. **10** The one who loves his fellow Christian resides in the light, and there is no cause for stumbling in him. **11** But the one who hates his fellow Christian is in the darkness, walks in the darkness, and does not know where he is going because the darkness has blinded his eyes.

2 Westcott-Hort Greek NT

12 Γράφω ὑμῖν, τεκνία, ὅτι ἀφέωνται ὑμῖν αἱ ἁμαρτίαι διὰ τὸ ὄνομα αὐτοῦ.
13 γράφω ὑμῖν, πατέρες ὅτι ἐγνώκατε τὸν ἀπ' ἀρχῆς. γράφω ὑμῖν νεανίσκοι, ὅτι νενικήκατε τὸν πονηρόν.
14 ἔγραψα ὑμῖν, παιδία, ὅτι ἐγνώκατε τὸν πατέρα. ἔγραψα ὑμῖν, πατέρες, ὅτι ἐγνώκατε τὸν ἀπ' ἀρχῆς. ἔγραψα ὑμῖν, νεανίσκοι, ὅτι ἰσχυροί ἐστε καὶ ὁ λόγος [τοῦ θεοῦ] ἐν ὑμῖν μένει και νενικηκατε τον πονηρον.

맛싸성경

12 내가 너희에게 쓴다, 자녀들아! 너희에게 죄들이 그분의 이름 때문에(덕분에) 용서받아졌다. 13 내가 너희에게 쓴다, 아버지들아! 너희는 처음부터 계신 분을 알고 있다. 내가 너희에게 쓴다, 젊은 자들아! 너희가 악한 자를 이겨왔다. 내가 너희에게 썼다, 어린이들아! 너희는 아버지를 알아왔다. 14 내가 너희에게 썼다, 아버지들아! 너희들은 처음부터 알아왔다. 내가 너희에게 썼다, 젊은 자들아! 너희는 강한 자들이며 하나님의 그 말씀이 너희 안에 거하시니 또 너희가 악한 자를 이겨왔다.

NET

12 I am writing to you, little children, that your sins have been forgiven because of his name. 13 I am writing to you, fathers, that you have known him who has been from the beginning. I am writing to you, young people, that you have conquered the evil one. 14 I have written to you, children, that you have known the Father. I have written to you, fathers, that you have known him who has been from the beginning. I have written to you, young people, that you are strong, and the word of God resides in you, and you have conquered the evil one.

2 Westcott-Hort Greek NT

15 Μὴ ἀγαπᾶτε τὸν κόσμον μηδὲ τὰ ἐν τῷ κόσμῳ. ἐάν τις ἀγαπᾷ τὸν κόσμον, οὐκ ἔστιν ἡ ἀγάπη τοῦ πατρὸς ἐν αὐτῷ·

16 ὅτι πᾶν τὸ ἐν τῷ κόσμῳ, ἡ ἐπιθυμία τῆς σαρκὸς καὶ ἡ ἐπιθυμία τῶν ὀφθαλμῶν καὶ ἡ ἀλαζονεία τοῦ βίου, οὐκ ἔστιν ἐκ τοῦ πατρὸς ἀλλ' ἐκ τοῦ κόσμου ἐστίν.

17 καὶ ὁ κόσμος παράγεται καὶ ἡ ἐπιθυμία [αὐτοῦ], ὁ δὲ ποιῶν τὸ θέλημα τοῦ θεοῦ μένει εἰς τὸν αἰῶνα.

맛싸성경

15 너희는 세상을 사랑하지 말고 세상에 있는 것들도 (사랑하지) 마라. 누구든지 세상을 사랑하면 아버지의 사랑이 그 안에 있지 않으니 16 세상에 있는 모든 것들이 육체의 욕망과 눈들의 욕망과 그리고 삶의 자랑거리로 아버지로부터 온 것이 아니며 세상으로부터 온 것이다. 17 또 세상은 지나가고 그의 욕망도 (그러하나) 그러나 하나님의 뜻을 행하는 자는 영원히 거한다.

NET

15 Do not love the world or the things in the world. If anyone loves the world, the love of the Father is not in him, 16 because all that is in the world (the desire of the flesh and the desire of the eyes and the arrogance produced by material possessions) is not from the Father, but is from the world. 17 And the world is passing away with all its desires, but the person who does the will of God remains forever.

2 Westcott-Hort Greek NT

18 Παιδία, ἐσχάτη ὥρα ἐστιν καὶ καθὼς ἠκούσατε ὅτι ἀντίχριστος ἔρχεται καὶ νῦν ἀντίχριστοι πολλοὶ γεγόνασιν, ὅθεν γινώσκομεν ὅτι ἐσχάτη ὥρα ἐστίν.
19 ἐξ ἡμῶν ἐξῆλθαν ἀλλ' οὐκ ἦσαν ἐξ ἡμῶν· εἰ γὰρ ἐξ ἡμῶν ἦσαν, μεμενήκεισαν ἂν μεθ' ἡμῶν· ἀλλ' ἵνα φανερωθῶσιν ὅτι οὐκ εἰσὶν πάντες ἐξ ἡμῶν.

맛싸성경

18 어린이들아! 마지막 시간이다. 또 너희가 적그리스도가 온다는 것을 너희가 들었던 것 같이 그리고 이제도 많은 적그리스도들이 나타났으니 그러므로 마지막 시간이라는 것을 우리는 안다. **19** 우리들에게서부터 그들이 나갔으나 그러나 그들은 우리들에게 속한 자가 아니다. 그러므로 만일 그들이 우리에게서 속하였으면 우리와 함께 거하였을 것이나 그러나 그들 모두는 우리에게 속한 것이 아니라는 것을 그들에게 나타내지려 함이다.

NET

18 Children, it is the last hour, and just as you heard that the antichrist is coming, so now many antichrists have appeared. We know from this that it is the last hour. **19** They went out from us, but they did not really belong to us because if they had belonged to us, they would have remained with us. But they went out from us to demonstrate that all of them do not belong to us.

2 Westcott-Hort Greek NT

20 καὶ ὑμεῖς χρῖσμα ἔχετε ἀπὸ τοῦ ἁγίου· οἴδατε πάντες.

21 οὐκ ἔγραψα ὑμῖν ὅτι οὐκ οἴδατε τὴν ἀλήθειαν ἀλλ' ὅτι οἴδατε αὐτὴν καὶ ὅτι πᾶν ψεῦδος ἐκ τῆς ἀληθείας οὐκ ἔστιν.

22 Τίς ἐστιν ὁ ψεύστης εἰ μὴ ὁ ἀρνούμενος ὅτι Ἰησοῦς οὐκ ἐστιν ὁ Χριστός; οὗτος ἐστιν ὁ ἀντίχριστος ὁ ἀρνούμενος τὸν πατέρα καὶ τὸν υἱόν.

23 πᾶς ὁ ἀρνούμενος τὸν υἱὸν οὐδὲ τὸν πατέρα ἔχει, ὁ ὁμολογῶν τὸν υἱὸν καὶ τὸν πατέρα ἔχει.

맛싸성경

20 그러나 너희는 거룩하신 분에게서 기름부음을 받았고 또 너희는 모든 것을 안다. **21** 너희가 그 진리를 알지 못하기 때문에 내가 너희에게 쓴 것이 아니라 너희가 그것을 알고 있기 때문이며 또 모든 거짓은 그 진리에서부터 나온 것이 아니라는 것이다. **22** 누가 거짓말쟁이인가? 예수는 그리스도가 아니라고 부인하는 자가 아니냐? 이 자(사람)가 적그리스도이며 아버지와 아들을 부인하는 자이다. **23** 누구든지 아들을 부인하는 자는 아버지를 가지고 있지 않으며 아들과 아버지를 고백하는 자 그는 가지고 있다.

NET

20 Nevertheless you have an anointing from the Holy One, and you all know. **21** I have not written to you that you do not know the truth, but that you do know it, and that no lie is of the truth. **22** Who is the liar but the person who denies that Jesus is the Christ? This one is the antichrist: the person who denies the Father and the Son. **23** Everyone who denies the Son does not have the Father either. The person who confesses the Son has the Father also.

2 Westcott-Hort Greek NT

24 ὑμεῖς ὃ ἠκούσατε ἀπ' ἀρχῆς ἐν ὑμῖν μενέτω. ἐὰν ἐν ὑμῖν μείνῃ ὃ ἀπ' ἀρχῆς ἠκούσατε, καὶ ὑμεῖς ἐν τῷ υἱῷ καὶ [ἐν] τῷ πατρὶ μενεῖτε.

25 καὶ αὕτη ἐστὶν ἡ ἐπαγγελία ἣν αὐτὸς ἐπηγγείλατο ἡμῖν, τὴν ζωὴν τὴν αἰώνιον.

26 Ταῦτα ἔγραψα ὑμῖν περὶ τῶν πλανώντων ὑμᾶς.

27 καὶ ὑμεῖς τὸ χρῖσμα ὃ ἐλάβετε ἀπ' αὐτοῦ, μένει ἐν ὑμῖν καὶ οὐ χρείαν ἔχετε ἵνα τις διδάσκῃ ὑμᾶς, ἀλλ' ὡς τὸ αὐτοῦ χρῖσμα διδάσκει ὑμᾶς περὶ πάντων καὶ ἀληθές ἐστιν καὶ οὐκ ἔστιν ψεῦδος, καὶ καθὼς ἐδίδαξεν ὑμᾶς μένετε ἐν αὐτῷ.

맛싸성경

24 그러므로 너희는 처음부터 들었으니 너희 안에 거하게 하라. 만일 처음부터 들었던 것이 너희 안에 거하면 또 너희는 아들 안과 아버지 안에서 거할 것이다. **25** 그리고 이것은 그분이 친히 너희에게 약속하신 그 약속으로 영원한 생명이다. **26** 너희를 미혹하는 자에 대해서 나는 너희에게 이것을 썼다. **27** 또 너희는 그분에게서 받은 기름부음이 네 안에 거하니 또한 어떤 자도 너희를 가르치게 할 필요를 너희는 가지고 있지 않다. 오히려 그분의 기름부음이 너희에게 모든 것들에 대해서 가르치니 또 그것은 참되고 또한 거짓이 아니다. 그래서 그것이 우리를 가르친 것 같이 그 안에 너희는 거하라.

NET

24 As for you, what you have heard from the beginning must remain in you. If what you heard from the beginning remains in you, you also will remain in the Son and in the Father. **25** Now this is the promise that he himself made to us: eternal life. **26** These things I have written to you about those who are trying to deceive you. **27** Now as for you, the anointing that you received from him resides in you, and you have no need for anyone to teach you. But as his anointing teaches you about all things, it is true and is not a lie. Just as it has taught you, you reside in him.

2 Westcott-Hort Greek NT

28 Καὶ νῦν, τεκνία, μένετε ἐν αὐτῷ, ἵνα ἐὰν φανερωθῇ σχῶμεν παρρησίαν καὶ μὴ αἰσχυνθῶμεν ἀπ' αὐτοῦ ἐν τῇ παρουσίᾳ αὐτοῦ. 29 ἐὰν εἰδῆτε ὅτι δίκαιός ἐστιν, γινώσκετε ὅτι πᾶς ὁ ποιῶν τὴν δικαιοσύνην ἐξ αὐτοῦ γεγέννηται.

맛싸성경

28 또 이제 자녀들아! 그 안에 거하라. 그분이 나타나질 때 우리는 확신을 가져서 또한 그분의 강림에 그분으로부터 창피를 당하지 않을 것이다. **29** 만일 그분이 의롭다는 것을 너희가 알고 있다면 의를 행하는 자는 누구든지 그분에게서부터 그는 태어나졌다는 것을 우리는 안다.

NET

28 And now, little children, remain in him, so that when he appears we may have confidence and not shrink away from him in shame when he comes back. **29** If you know that he is righteous, you also know that everyone who practices righteousness has been fathered by him.

3 Westcott-Hort Greek NT

4 Πᾶς ὁ ποιῶν τὴν ἁμαρτίαν καὶ τὴν ἀνομίαν ποιεῖ, καὶ ἡ ἁμαρτία ἐστιν ἡ ἀνομία.
5 καὶ οἴδατε ὅτι ἐκεῖνος ἐφανερώθη, ἵνα τὰς ἁμαρτίας ἄρῃ καὶ ἁμαρτία ἐν αὐτῷ οὐκ ἐστιν.
6 πᾶς ὁ ἐν αὐτῷ μένων οὐχ ἁμαρτάνει· πᾶς ὁ ἁμαρτάνων οὐχ ἑώρακεν αὐτὸν οὐδὲ ἔγνωκεν αὐτόν.

맛싸성경

4 죄를 행하는 자는 누구든지 또한 불법을 행하고 있으니 또한 죄는 불법이라. 5 또한 그가 나타나지신 것은 그가 우리 죄를 담당하시려고 한 것을 너희는 알고 있으니 또한 그분 안에는 죄가 없으시다. 6 그 안에 거하는 자는 누구든지 죄를 (계속) 짓지 않는다. 죄를 짓는 자는 누구든지 그분을 본 것도 아니며 아는 것도 아니다.

NET

4 Everyone who practices sin also practices lawlessness; indeed, sin is lawlessness. 5 And you know that Jesus was revealed to take away sins, and in him there is no sin. 6 Everyone who resides in him does not sin; everyone who sins has neither seen him nor known him.

3 Westcott-Hort Greek NT

7 Τεκνία, μηδεὶς πλανάτω ὑμᾶς· ὁ ποιῶν τὴν δικαιοσύνην δίκαιος ἐστιν, καθὼς ἐκεῖνος δίκαιος ἐστιν·

8 ὁ ποιῶν τὴν ἁμαρτίαν ἐκ τοῦ διαβόλου ἐστιν, ὅτι ἀπ' ἀρχῆς ὁ διάβολος ἁμαρτάνει· εἰς τοῦτο ἐφανερώθη ὁ υἱὸς τοῦ θεοῦ, ἵνα λύσῃ τὰ ἔργα τοῦ διαβόλου.

9 Πᾶς ὁ γεγεννημένος ἐκ τοῦ θεοῦ ἁμαρτίαν οὐ ποιεῖ, ὅτι σπέρμα αὐτοῦ ἐν αὐτῷ μένει, καὶ οὐ δύναται ἁμαρτάνειν, ὅτι ἐκ τοῦ θεοῦ γεγέννηται.

10 ἐν τούτῳ φανερά ἐστιν τὰ τέκνα τοῦ θεοῦ καὶ τὰ τέκνα τοῦ διαβόλου· πᾶς ὁ μὴ ποιῶν δικαιοσύνην οὐκ ἐστιν ἐκ τοῦ θεοῦ, καὶ ὁ μὴ ἀγαπῶν τὸν αδελφὸν αὐτοῦ.

맛싸성경

7 자녀들아! 아무도 너희를 미혹하지 않게 하라. 의를 행하는 자 그는 의로우니 그분이 의로우신 것과 같다. **8** 죄를 행하는 자는 마귀에게서부터 나온 자이니 마귀는 처음부터 죄를 짓기 때문이다. 이 일을 위하여 하나님의 아들이 나타나지셨으니 마귀의 사역을 멸하시려 함이다. **9** 하나님께로부터 태어나진 자는 누구든지 죄를 (계속) 행하지 않으니 그분의 씨가 그 안에 거하고 있음이다. 또한 죄짓는 것을 할 수 없으니 그는 하나님께로 태어나진 자이기 때문이다. **10** 이것으로 나타났으니 하나님의 자녀들과 또한 마귀의 자녀들이다. 의를 행하지 않는 자는 누구든지 하나님께로 난 자가 아니며 또한 그의 형제를 사랑하지 않는 자이다.

NET

7 Little children, let no one deceive you: The one who practices righteousness is righteous, just as Jesus is righteous. **8** The one who practices sin is of the devil because the devil has been sinning from the beginning. For this purpose the Son of God was revealed: to destroy the works of the devil. **9** Everyone who has been fathered by God does not practice sin because God's seed resides in them, and thus they are not able to sin because they have been fathered by God. **10** By this the children of God and the children of the devil are revealed: Everyone who does not practice righteousness—the one who does not love his fellow Christian—is not of God.

3 Westcott-Hort Greek NT

11 Ὅτι αὕτη ἐστὶν ἡ ἀγγελία ἣν ἠκούσατε ἀπ' ἀρχῆς, ἵνα ἀγαπῶμεν ἀλλήλους,
12 οὐ καθὼς Κάϊν ἐκ τοῦ πονηροῦ ἦν καὶ ἔσφαξεν τὸν ἀδελφὸν αὐτοῦ καὶ χάριν τίνος ἔσφαξεν αὐτόν; ὅτι τὰ ἔργα αὐτοῦ πονηρὰ ἦν τὰ δὲ τοῦ ἀδελφοῦ αὐτοῦ δίκαια.

맛싸성경

11 또한 이것이 너희가 처음부터 들었던 그 명령이니 우리가 서로 사랑하라는 것이다. 12 악한 자에게서 난 가인 같지는 않아야 하니 또 그는 그의 형제를 죽였다. 그리고 어떤 이유로 그가 그를 죽였느냐? 그의 일은 악하였으며 그러나 그의 형제의 일은 의로웠기 때문이다.

NET

11 For this is the gospel message that you have heard from the beginning: that we should love one another, 12 not like Cain who was of the evil one and brutally murdered his brother. And why did he murder him? Because his deeds were evil, but his brother's were righteous.

3 Westcott-Hort Greek NT

13 μὴ θαυμάζετε, ἀδελφοί, εἰ μισεῖ ὑμᾶς ὁ κόσμος.
14 ἡμεῖς οἴδαμεν ὅτι μεταβεβήκαμεν ἐκ τοῦ θανάτου εἰς τὴν ζωήν, ὅτι ἀγαπῶμεν τοὺς ἀδελφούς· ὁ μὴ ἀγαπῶν μένει ἐν τῷ θανάτῳ.

맛싸성경

13 형제들아! 만일 세상이 너희를 미워하여도 너희는 또한 놀라지 마라. 14 우리는 사망에서부터 생명으로 옮겨졌다는 것을 알고 있으니 우리가 형제들을 사랑하고 있음이다. 형제를 사랑하지 않는 자는 사망안에 거하고 있다.

NET

13 Therefore do not be surprised, brothers and sisters, if the world hates you. 14 We know that we have crossed over from death to life because we love our fellow Christians. The one who does not love remains in death.

3 Westcott-Hort Greek NT

15 πᾶς ὁ μισῶν τὸν ἀδελφὸν αὐτοῦ ἀνθρωποκτόνος ἐστίν. καὶ οἴδατε ὅτι πᾶς ἀνθρωποκτόνος οὐκ ἔχει ζωὴν αἰώνιον ἐν αὐτῷ μένουσαν.
16 ἐν τούτῳ ἐγνώκαμεν τὴν ἀγάπην, ὅτι ἐκεῖνος ὑπὲρ ἡμῶν τὴν ψυχὴν αὐτοῦ ἔθηκεν καὶ ἡμεῖς ὀφείλομεν ὑπὲρ τῶν ἀδελφῶν τὰς ψυχὰς θεῖναι.
17 ὃς δ' ἂν ἔχῃ τὸν βίον τοῦ κόσμου καὶ θεωρῇ τὸν ἀδελφὸν αὐτοῦ χρείαν ἔχοντα καὶ κλείσῃ τὰ σπλάγχνα αὐτοῦ ἀπ' αὐτοῦ πῶς ἡ ἀγάπη τοῦ θεοῦ μένει ἐν αὐτῷ;.

맛싸성경

15 그의 형제를 미워하는 자는 누구든지 살인자이나 또 살인자는 누구든지 그 안에 거하는 영원한 생명을 가지고 있지 않다. 16 이것으로 우리는 사랑을 알았으니 그분이 우리를 위하여 그분의 생명을 내려 놓으셨음이라. 그래서 우리도 우리의 형제들을 위하여 생명들을 내려놓는 것이 당연함이다. 17 그러나 세상의 재산을 가진 자가 궁핍함을 가지고 있는 그의 형제를 보고 있으면서 그의 마음을 닫으면 어떻게 하나님의 사랑이 그 안에 거하겠느냐?

NET

15 Everyone who hates his fellow Christian is a murderer, and you know that no murderer has eternal life residing in him. 16 We have come to know love by this: that Jesus laid down his life for us; thus we ought to lay down our lives for our fellow Christians. 17 But whoever has the world's possessions and sees his fellow Christian in need and shuts off his compassion against him, how can the love of God reside in such a person?

3 Westcott-Hort Greek NT

18 Τεκνία, μὴ ἀγαπῶμεν λόγῳ μηδὲ τῇ γλώσσῃ ἀλλὰ ἐν ἔργῳ καὶ ἀληθείᾳ.

19 ἐν τούτῳ γνωσόμεθα ὅτι ἐκ τῆς ἀληθείας ἐσμέν, καὶ ἔμπροσθεν αὐτοῦ πείσομεν τὴν καρδίαν ἡμῶν,

20 ὅτι ἐὰν καταγινώσκῃ ἡμῶν ἡ καρδία, ὅτι μείζων ἐστὶν ὁ θεὸς τῆς καρδίας ἡμῶν καὶ γινώσκει πάντα.

맛싸성경

18 내 자녀들아! 우리는 말만으로나 언어만으로 사랑하지 말고 오히려 행동과 진리로 하자(사랑하자). 19 또한 이것으로 우리는 그 진리에서 난 자인 것을 우리가 아니 그분 앞에서 우리의 마음을 안심시킬 것이라. 20 만일 우리의 마음이 정죄하여도 우리의 마음보다 하나님은 더 크신 분이시며 그분은 모든 것을 아신다.

NET

18 Little children, let us not love with word or with tongue but in deed and truth. 19 And by this we will know that we are of the truth and will convince our conscience in his presence, 20 that if our conscience condemns us, that God is greater than our conscience and knows all things.

3 Westcott-Hort Greek NT

21 Ἀγαπητοί, ἐὰν ἡ καρδία μὴ καταγινώσκῃ παρρησίαν ἔχομεν πρὸς τὸν θεόν.

22 καὶ ὃ ἐὰν αἰτῶμεν λαμβάνομεν ἀπ' αὐτοῦ, ὅτι τὰς ἐντολὰς αὐτοῦ τηροῦμεν καὶ τὰ ἀρεστὰ ἐνώπιον αὐτοῦ ποιοῦμεν.

23 καὶ αὕτη ἐστὶν ἡ ἐντολὴ αὐτοῦ, ἵνα πιστεύσωμεν τῷ ὀνόματι τοῦ υἱοῦ αὐτοῦ Ἰησοῦ Χριστοῦ καὶ ἀγαπῶμεν ἀλλήλους, καθὼς ἔδωκεν ἐντολὴν ἡμῖν.

24 καὶ ὁ τηρῶν τὰς ἐντολὰς αὐτοῦ ἐν αὐτῷ μένει καὶ αὐτὸς ἐν αὐτῷ· καὶ ἐν τούτῳ γινώσκομεν ὅτι μένει ἐν ἡμῖν, ἐκ τοῦ πνεύματος οὗ ἡμῖν ἔδωκεν.

맛싸성경

21 사랑하는 자들아! 만일 우리의 마음이 우리를 정죄하지 않으면 우리는 하나님과 함께 확신을 가지니 **22** 또 우리가 만일 구하는 것은 그분으로부터 우리가 받으니 그분의 명령을 우리는 지키며 또 그분 앞에서 기쁘시게 하는 것들을 우리가 행함이라. **23** 또 이것이 그분의 그 명령이니 우리가 그분의 아들 예수 그리스도의 이름을 믿는 것과 또한 서로 사랑하는 것이니 그분이 우리에게 주신 명령과 같은 것이라. **24** 또 그의 명령들을 지키는 자는 그분 안에 거하고 있고 그분도 그 안에 있으니 또한 이것으로 우리가 아노니 그분이 우리 안에 거하시니 우리에게 주신 성령에 의해서다.

NET

21 Dear friends, if our conscience does not condemn us, we have confidence in the presence of God, **22** and whatever we ask we receive from him, because we keep his commandments and do the things that are pleasing to him. **23** Now this is his commandment: that we believe in the name of his Son Jesus Christ and love one another, just as he gave us the commandment. **24** And the person who keeps his commandments resides in God, and God in him. Now by this we know that God resides in us: by the Spirit he has given us.

4 Westcott-Hort Greek NT

1 Ἀγαπητοί, μὴ παντὶ πνεύματι πιστεύετε, ἀλλὰ δοκιμάζετε τὰ πνεύματα εἰ ἐκ τοῦ θεοῦ ἐστιν, ὅτι πολλοὶ ψευδοπροφῆται ἐξεληλύθασιν εἰς τὸν κόσμον.

2 ἐν τούτῳ γινώσκετε τὸ πνεῦμα τοῦ θεοῦ· πᾶν πνεῦμα ὃ ὁμολογεῖ Ἰησοῦν Χριστὸν ἐν σαρκὶ ἐληλυθότα ἐκ τοῦ θεοῦ ἐστιν,

3 καὶ πᾶν πνεῦμα ὃ μὴ ὁμολογεῖ τὸν Ἰησοῦν ἐκ τοῦ θεοῦ οὐκ ἔστιν· καὶ τοῦτό ἐστιν τὸ τοῦ ἀντιχρίστου, ὃ ἀκηκόατε ὅτι ἔρχεται, καὶ νῦν ἐν τῷ κόσμῳ ἐστὶν ἤδη.

맛싸성경

1 사랑하는 자들아! 모든 영들을 믿지 말고 그것이 하나님께로부터 있는지 오히려 영들을 시험하라. 많은 거짓 선지자들이 세상으로 나왔기 때문이다. 2 이것으로 너희는 하나님의 영을 알 것이니 예수 그리스도께서 육체로 오셨다는 것을 고백하는 모든 영은 하나님께로부터 있는 자이며 3 또 예수 그리스도가 육체로 오셨다는 것을 고백하지 않는 모든 영은 하나님께로부터 있는 자가 아니며 또 이것이 적그리스도의 영(것)이라. 그가 왔다는 것을 너희는 들어왔었고 그리고 이제 그가 세상에 이미 (와) 있다.

NET

1 Dear friends, do not believe every spirit, but test the spirits to determine if they are from God, because many false prophets have gone out into the world. 2 By this you know the Spirit of God: Every spirit that confesses Jesus as the Christ who has come in the flesh is from God, 3 but every spirit that refuses to confess Jesus, that spirit is not from God, and this is the spirit of the antichrist, which you have heard is coming, and now is already in the world.

4 Westcott-Hort Greek NT

4 ὑμεῖς ἐκ τοῦ θεοῦ ἐστε, τεκνία, καὶ νενικήκατε αὐτοὺς, ὅτι μείζων ἐστιν ὁ ἐν ὑμῖν ἢ ὁ ἐν τῷ κόσμῳ.
5 αὐτοὶ ἐκ τοῦ κόσμου εἰσὶν, διὰ τοῦτο ἐκ τοῦ κόσμου λαλοῦσιν καὶ ὁ κόσμος αὐτῶν ἀκούει.
6 ἡμεῖς ἐκ τοῦ θεοῦ ἐσμεν, ὁ γινώσκων τὸν θεὸν ἀκούει ἡμῶν, ὃς οὐκ ἔστιν ἐκ τοῦ θεοῦ οὐκ ἀκούει ἡμῶν. ἐκ τούτου γινώσκομεν τὸ πνεῦμα τῆς ἀληθείας καὶ τὸ πνεῦμα τῆς πλάνης.

맛싸성경

4 너희는 하나님께로부터 있는 자인, 자녀들아! 너희는 그들을 이겼다. 네 안에 거하신 분이 세상에 있는 자보다 더 크신 분이시다. 5 그들은 세상에서부터 있는 자들이니 이런 이유로 그들은 세상에서부터 말을 하며 또 세상은 그들에게 듣는다. 6 너희는 하나님께로부터 있는 자이니 하나님을 아는 자는 우리에게 들으나 하나님께로부터 있지 않는 자는 우리에게 듣지 않는다. 이것으로부터 우리는 그 진리의 영과 미혹하는 영을 안다.

NET

4 You are from God, little children, and have conquered them because the one who is in you is greater than the one who is in the world. 5 They are from the world; therefore they speak from the world's perspective and the world listens to them. 6 We are from God; the person who knows God listens to us, but whoever is not from God does not listen to us. By this we know the Spirit of truth and the spirit of deceit.

4 Westcott-Hort Greek NT

7 Ἀγαπητοί, ἀγαπῶμεν ἀλλήλους ὅτι ἡ ἀγάπη ἐκ τοῦ θεοῦ ἐστιν, καὶ πᾶς ὁ ἀγαπῶν ἐκ τοῦ θεοῦ γεγέννηται καὶ γινώσκει τὸν θεόν.

8 ὁ μὴ ἀγαπῶν οὐκ ἔγνω τὸν θεόν, ὅτι ὁ θεὸς ἀγάπη ἐστίν.

9 ἐν τούτῳ ἐφανερώθη ἡ ἀγάπη τοῦ θεοῦ ἐν ἡμῖν, ὅτι τὸν υἱὸν αὐτοῦ τὸν μονογενῆ ἀπέσταλκεν ὁ θεὸς εἰς τὸν κόσμον ἵνα ζήσωμεν δι' αὐτοῦ.

10 ἐν τούτῳ ἐστιν ἡ ἀγάπη, οὐχ ὅτι ἡμεῖς ἠγαπήκαμεν τὸν θεὸν ἀλλ' ὅτι αὐτὸς ἠγάπησεν ἡμᾶς καὶ ἀπέστειλεν τὸν υἱὸν αὐτοῦ ἱλασμὸν περὶ τῶν ἁμαρτιῶν ἡμῶν.

맛싸성경

7 사랑하는 자들아! 우리가 서로 사랑하자. 사랑은 하나님께로부터 있고 또 누구든지 사랑하는 자는 하나님께로부터 태어나졌고 또 하나님을 안다. **8** 사랑하지 않는 자는 하나님을 알지 않으니 이는 하나님은 사랑이심이라. **9** 이것으로 하나님의 사랑이 우리에게 나타나졌으니 하나님이 그의 유일한 아들을 세상에 보내셨으니 이는 우리가 그분을 통하여 살게 하려 하심이다. **10** 이 안에 사랑이 있으니 우리가 하나님을 사랑해 온 것이 아니라 그 자신이 우리를 사랑하셨고 또 우리의 죄들에 대하여 그의 아들을 속죄제물로 보내셨다.

NET

7 Dear friends, let us love one another, because love is from God, and everyone who loves has been fathered by God and knows God. **8** The person who does not love does not know God because God is love. **9** By this the love of God is revealed in us: that God has sent his one and only Son into the world so that we may live through him. **10** In this is love: not that we have loved God, but that he loved us and sent his Son to be the atoning sacrifice for our sins.

4 Westcott-Hort Greek NT

11 Ἀγαπητοί, εἰ οὕτως ὁ θεὸς ἠγάπησεν ἡμᾶς, καὶ ἡμεῖς ὀφείλομεν ἀλλήλους ἀγαπᾶν.

12 θεὸν οὐδεὶς πώποτε τεθέαται. ἐὰν ἀγαπῶμεν ἀλλήλους ὁ θεὸς ἐν ἡμῖν μένει καὶ ἡ ἀγάπη αὐτοῦ τετελειωμένη ἐν ἡμῖν ἐστίν.

13 Ἐν τούτῳ γινώσκομεν ὅτι ἐν αὐτῷ μένομεν καὶ αὐτὸς ἐν ἡμῖν, ὅτι ἐκ τοῦ πνεύματος αὐτοῦ δέδωκεν ἡμῖν.

14 καὶ ἡμεῖς τεθεάμεθα καὶ μαρτυροῦμεν ὅτι ὁ πατὴρ ἀπέσταλκεν τὸν υἱὸν σωτῆρα τοῦ κόσμου.

맛싸성경

11 사랑하는 자들아! 만일 하나님이 우리를 이렇게 사랑하신다면 또 우리가 서로 사랑하는 것이 당연하다. 12 아무도 어느 때도 하나님을 보지 못하였으니 만일 우리가 서로 사랑하면 하나님이 우리 안에 거하시며 또 그분의 사랑이 우리 안에서 완성되어져 있다. 13 이것으로 우리가 아는 것은 그분 안에 우리가 거하고 그분이 우리 안에 있는 것이며 그분의 (성)영으로부터 그가 우리에게 주셨다는 것이다. 14 또 우리는 보았고 또 증거하는데 아버지께서 아들을 세상의 구원자로 보내셨다는 것이다.

NET

11 Dear friends, if God so loved us, then we also ought to love one another. 12 No one has seen God at any time. If we love one another, God resides in us, and his love is perfected in us. 13 By this we know that we reside in God and he in us: in that he has given us of his Spirit. 14 And we have seen and testify that the Father has sent the Son to be the Savior of the world.

4 Westcott-Hort Greek NT

15 ὃς ἐὰν ὁμολογήσῃ ὅτι Ἰησοῦς [Χριστὸς] ἐστιν ὁ υἱὸς τοῦ θεοῦ, ὁ θεὸς ἐν αὐτῳ μένει καὶ αὐτὸς ἐν τῷ θεῷ.
16 καὶ ἡμεῖς ἐγνώκαμεν καὶ πεπιστεύκαμεν τὴν ἀγάπην ἣν ἔχει ὁ θεὸς ἐν ἡμῖν. Ὁ θεὸς ἀγάπη ἐστιν, καὶ ὁ μένων ἐν τῇ ἀγάπῃ ἐν τῷ θεῷ μένει καὶ ὁ θεὸς ἐν αὐτῷ [μένει].
17 ἐν τούτῳ τετελείωται ἡ ἀγάπη μεθ' ἡμῶν, ἵνα παρρησίαν ἔχωμεν ἐν τῇ ἡμέρα τῆς κρίσεως, ὅτι καθὼς ἐκεῖνος ἐστιν καὶ ἡμεῖς ἐσμεν ἐν τῷ κόσμῳ τούτῳ.
18 φόβος οὐκ ἐστιν ἐν τῇ ἀγάπῃ ἀλλ' ἡ τελεία ἀγάπη ἔξω βάλλει τὸν φόβον, ὅτι ὁ φόβος κόλασιν ἔχει, ὁ δὲ φοβούμενος οὐ τετελείωται ἐν τῇ ἀγάπῃ.
19 ἡμεῖς ἀγαπῶμεν, ὅτι αὐτὸς πρῶτος ἠγάπησεν ἡμᾶς.

맛싸성경

15 만일 누구든지 예수가 하나님의 아들인 것을 고백하는 자는 하나님이 그 안에 거하시고 또 그는 하나님 안에 있고 16 또 하나님이 우리 안에서 가지고 계신 사랑을 우리는 알아왔고 그리고 믿어왔다. 하나님은 사랑이시니 그리고 사랑안에서 거하는 자는 하나님 안에 거하며 또 하나님은 그 안에 거하신다. 17 이것으로 사랑이 우리와 함께 완성되어져 있으니 이는 심판의 날에 우리가 확신을 가지려함이니 또 그분이신 것과 같이 또 우리도 이 세상에서 있게 함이다. 18 사랑안에는 두려움이 없으나 그러나 완전한 사랑은 두려움을 밖으로 좇아낸다. 이는 두려움은 심판을 가지고 또 두려워하는 자는 사랑 안에서 완성되어지지 않는다. 19 우리는 사랑하고 있으니 그분이 처음에 우리를 사랑하셨기 때문이다.

NET

15 If anyone confesses that Jesus is the Son of God, God resides in him and he in God. 16 And we have come to know and to believe the love that God has in us. God is love, and the one who resides in love resides in God, and God resides in him. 17 By this love is perfected with us, so that we may have confidence in the day of judgment, because just as Jesus is, so also are we in this world. 18 There is no fear in love, but perfect love drives out fear because fear has to do with punishment. The one who fears punishment has not been perfected in love. 19 We love because he loved us first.

4 Westcott-Hort Greek NT

20 ἐὰν τις εἴπῃ ὅτι ἀγαπῶ τὸν θεὸν καὶ τὸν ἀδελφὸν αὐτοῦ μισῇ, ψεύστης ἐστίν· ὁ γὰρ μὴ ἀγαπῶν τὸν ἀδελφὸν αὐτοῦ ὃν ἑώρακεν, τὸν θεὸν ὃν οὐχ ἑώρακεν οὐ δύναται ἀγαπᾶν.
21 καὶ ταύτην τὴν ἐντολὴν ἔχομεν ἀπ' αὐτοῦ, ἵνα ὁ ἀγαπῶν τὸν θεὸν ἀγαπᾷ καὶ τὸν ἀδελφὸν αὐτοῦ.

맛싸성경

20 만일 누구든지 내가 하나님을 사랑한다고 말하면서 그리고 그의 형제를 미워하고 있으면 그는 거짓말쟁이다. 이는 그가 보아 온 그의 형제를 사랑하지 않으면서 보이지 않아 온 하나님을 어떻게 사랑할 수 있겠는가? **21** 또 우리가 그분에게서부터 이 명령을 가지고 있으니 하나님을 사랑하는 자는 그의 형제를 또한 사랑해야 하는 것이라.

NET

20 If anyone says "I love God" and yet hates his fellow Christian, he is a liar because the one who does not love his fellow Christian whom he has seen cannot love God whom he has not seen. **21** And the commandment we have from him is this: that the one who loves God should love his fellow Christian too.

5 Westcott-Hort Greek NT

1 Πᾶς ὁ πιστεύων ὅτι Ἰησοῦς ἐστιν ὁ Χριστὸς, ἐκ τοῦ θεοῦ γεγέννηται, καὶ πᾶς ὁ ἀγάπων τὸν γεννήσαντα ἀγαπᾷ τὸν γεγεννημένον ἐξ αὐτοῦ.
2 ἐν τούτῳ γινώσκομεν ὅτι ἀγαπῶμεν τὰ τέκνα τοῦ θεοῦ. ὅταν τὸν θεὸν ἀγαπῶμεν καὶ τὰς ἐντολὰς αὐτοῦ ποιῶμεν.
3 αὕτη γάρ ἐστιν ἡ ἀγάπη τοῦ θεοῦ, ἵνα τὰς ἐντολὰς αὐτοῦ τηρῶμεν, καὶ αἱ ἐντολαὶ αὐτοῦ βαρεῖαι οὐκ εἰσίν.
4 ὅτι πᾶν τὸ γεγεννημένον ἐκ τοῦ θεοῦ νικᾷ τὸν κόσμον· καὶ αὕτη ἐστὶν ἡ νίκη ἡ νικήσασα τὸν κόσμον, ἡ πίστις ἡμῶν.

맛싸성경

1 누구든지 예수는 그리스도이시다는 것을 믿는 자는 하나님께로부터 태어나진 자이다. 또한 낳으신 그분을 사랑하는 자는 또한 그에게서부터 태어난 자도 사랑한다. 2 이것으로 우리가 하나님의 자녀를 사랑하고 있는 것을 우리는 아는데 우리가 하나님을 사랑하고 또한 그의 명령을 지킬 때이다. 3 그러므로 이것이 하나님의 그 사랑이니 우리가 그분의 명령을 지키는 것이라. 또한 그분의 명령들은 무거운 것이 아니다. 4 하나님께로부터 난 자는 누구든지 세상을 이긴다. 또한 이것이 세상을 이긴 그 승리이니 우리의 믿음이다.

NET

1 Everyone who believes that Jesus is the Christ has been fathered by God, and everyone who loves the father loves the child fathered by him. 2 By this we know that we love the children of God: whenever we love God and obey his commandments. 3 For this is the love of God: that we keep his commandments. And his commandments do not weigh us down, 4 because everyone who has been fathered by God conquers the world. This is the conquering power that has conquered the world: our faith.

5 Westcott-Hort Greek NT

5 τίς ἐστιν [δὲ] ὁ νικῶν τὸν κόσμον εἰ μὴ ὁ πιστεύων ὅτι Ἰησοῦς ἐστιν ὁ υἱὸς τοῦ θεοῦ;.
6 Οὗτός ἐστιν ὁ ἐλθὼν δι' ὕδατος καὶ αἵματος, Ἰησοῦς Χριστὸς οὐκ ἐν τῷ ὕδατι μόνον ἀλλ' ἐν τῷ ὕδατι καὶ ἐν τῷ αἵματι καὶ τὸ πνεῦμά ἐστιν τὸ μαρτυροῦν ὅτι τὸ πνεῦμά ἐστιν ἡ ἀλήθεια.
7 ὅτι τρεῖς εἰσιν οἱ μαρτυροῦντες,
8 τὸ πνεῦμα καὶ τὸ ὕδωρ καὶ τὸ αἷμα καὶ οἱ τρεῖς εἰς τὸ ἕν εἰσιν.

맛싸성경

5 그러면 누가 세상을 승리한 자인가? 예수는 하나님의 아들이시다는 것을 믿는 자가 아니냐? **6** 이분은 물과 피를 통하여 오신 분으로 예수 그리스도이시다. 물로만이 아니고 물로 그리고 피로(오신 것)이며 또한 성령도 증거하시는 분이시며 성령은 그 진리이시다. **7** 하늘에서 증거하시는 분들은 세 분이시니 성부, 말씀, 성령이시다. 이 세 분이 하나로 계신다. **8** 성령, 그리고 물, 피 그리고 이 셋도 하나로 있다.

NET

5 Now who is the person who has conquered the world except the one who believes that Jesus is the Son of God? **6** Jesus Christ is the one who came by water and blood—not by the water only, but by the water and the blood. And the Spirit is the one who testifies, because the Spirit is the truth. **7** For there are three that testify, **8** the Spirit and the water and the blood, and these three are in agreement.

5 Westcott-Hort Greek NT

9 εἰ τὴν μαρτυρίαν τῶν ἀνθρώπων λαμβάνομεν, ἡ μαρτυρία τοῦ θεοῦ μείζων ἐστιν· ὅτι αὕτη ἐστιν ἡ μαρτυρία τοῦ θεοῦ ὅτι μεμαρτύρηκεν περὶ τοῦ υἱοῦ αὐτοῦ.

10 ὁ πιστεύων εἰς τὸν υἱὸν τοῦ θεοῦ ἔχει τὴν μαρτυρίαν ἐν αὐτῷ, ὁ μὴ πιστεύων τῷ θεῷ ψεύστην πεποίηκεν αὐτόν, ὅτι οὐ πεπίστευκεν εἰς τὴν μαρτυρίαν ἣν μεμαρτύρηκεν ὁ θεὸς περὶ τοῦ υἱοῦ αὐτοῦ.

11 καὶ αὕτη ἐστὶν ἡ μαρτυρία ὅτι ζωὴν αἰώνιον ἔδωκεν ὁ θεὸς ἡμῖν, καὶ αὕτη ἡ ζωὴ ἐν τῷ υἱῷ αὐτοῦ ἐστιν.

12 ὁ ἔχων τὸν υἱὸν ἔχει τὴν ζωήν, ὁ μὴ ἔχων τὸν υἱὸν τοῦ θεοῦ τὴν ζωὴν οὐκ ἔχει.

맛싸성경

9 만일 우리가 사람들의 증거를 받아도 하나님의 증거는 더욱 크시다. 또 이것이 하나님의 그 증거이니 그분의 아들에 대해서 그분이 증거해 온 것이다. 10 하나님의 아들을 믿는 자는 그 안에서 증거를 가지고 있고 하나님을 믿지 않는 자는 그분을 거짓말쟁이로 만들었으니 하나님이 그의 아들에 대해서 증거하신 증거를 믿지 않았기 때문이다. 11 또 이것이 그 증거이니 하나님이 우리에게 영원한 생명을 주셨다는 것과 또 이 생명이 그의 아들 안에 있는 것이다. 12 아들을 가진 자는 생명을 가지고 있고 또한 하나님의 아들을 가지지 못한 자는 생명을 가지고 있지 않다.

NET

9 If we accept the testimony of men, the testimony of God is greater because this is the testimony of God that he has testified concerning his Son. 10 (The one who believes in the Son of God has the testimony in himself; the one who does not believe God has made him a liar because he has not believed in the testimony that God has testified concerning his Son.) 11 And this is the testimony: God has given us eternal life, and this life is in his Son. 12 The one who has the Son has this eternal life; the one who does not have the Son of God does not have this eternal life.

5 Westcott-Hort Greek NT

13 Ταῦτα ἔγραψα ὑμῖν ἵνα εἰδῆτε ὅτι ζωὴν ἔχετε αἰώνιον τοῖς πιστεύουσιν εἰς τὸ ὄνομα τοῦ υἱοῦ τοῦ θεοῦ.

14 καὶ αὕτη ἐστὶν ἡ παρρησία ἣν ἔχομεν πρὸς αὐτὸν ὅτι ἐάν τι αἰτώμεθα κατὰ τὸ θέλημα αὐτοῦ ἀκούει ἡμῶν.

15 καὶ ἐὰν οἴδαμεν ὅτι ἀκούει ἡμῶν ὃ ἐὰν αἰτώμεθα, οἴδαμεν ὅτι ἔχομεν τὰ αἰτήματα ἃ ᾐτήκαμεν ἀπ' αὐτοῦ.

16 Ἐάν τις ἴδῃ τὸν ἀδελφὸν αὐτοῦ ἁμαρτάνοντα ἁμαρτίαν μὴ πρὸς θάνατον, αἰτήσει καὶ δώσει αὐτῷ ζωήν, τοῖς ἁμαρτάνουσιν μὴ πρὸς θάνατον. ἔστιν ἁμαρτία πρὸς θάνατον· οὐ περὶ ἐκείνης λέγω ἵνα ἐρωτήσῃ.

17 πᾶσα ἀδικία ἁμαρτία ἐστίν, καὶ ἔστιν ἁμαρτία οὐ πρὸς θάνατον.

맛싸성경

13 이것들을 내가 하나님의 아들의 이름을 믿으려고 하는 자들에게 썼다. 그래서 너희가 영원한 생명을 가지고 있는 것을 알게 하고 또한 하나님의 아들의 이름을 믿고 있게 하려 함이다. **14** 또 이것이 그분을 향해서 우리가 가진 그 확신이니, 만일 우리가 그분의 뜻을 따라서 어떤 것을 구하면 그분이 우리에게 들으신다는 것이다. **15** 그리고 우리가 구하면 그분이 우리를 들으시는 것을 만일 우리가 안다면 우리는 그분에게서부터 우리가 (간)구해온 간구들을 우리가 가지고 있는 것을 우리는 안다. **16** 만일 누가 그의 형제가 죽음으로 향하지 않은 죄를 짓는 것을 보거든 그는 간구할 것이니 그러면 죽음을 향하지 않은 죄짓는 것들에서 그분이 그에게 생명을 주실 것이다. 죽음을 향하는 죄도 있으니 나는 이것에 대해서는 구하라고 말하지 않는다. **17** 모든 불의가 죄이나 또한 죄는 죽음을 향하지 않은 것도 있다.

NET

13 I have written these things to you who believe in the name of the Son of God so that you may know that you have eternal life. **14** And this is the confidence that we have before him: that whenever we ask anything according to his will, he hears us. **15** And if we know that he hears us in regard to whatever we ask, then we know that we have the requests that we have asked from him. **16** If anyone sees his fellow Christian committing a sin not resulting in death, he should ask, and God will grant life to the person who commits a sin not resulting in death. There is a sin resulting in death. I do not say that he should ask about that. **17** All unrighteousness is sin, but there is sin not resulting in death.

5 Westcott-Hort Greek NT

18 Οἴδαμεν ὅτι πᾶς ὁ γεγεννημένος ἐκ τοῦ θεοῦ οὐχ ἁμαρτάνει, ἀλλ' ὁ γεννηθεὶς ἐκ τοῦ θεοῦ τηρεῖ αὐτὸν καὶ ὁ πονηρὸς οὐχ ἅπτεται αὐτοῦ.
19 οἴδαμεν ὅτι ἐκ τοῦ θεοῦ ἐσμεν καὶ ὁ κόσμος ὅλος ἐν τῷ πονηρῷ κεῖται.
20 οἴδαμεν δὲ ὅτι ὁ υἱὸς τοῦ θεοῦ ἥκει καὶ δέδωκεν ἡμῖν διάνοιαν ἵνα γινώσκομεν τὸν ἀληθινόν, καὶ ἐσμεν ἐν τῷ ἀληθινῷ ἐν τῷ υἱῷ αὐτοῦ Ἰησοῦ Χριστῷ. οὗτός ἐστιν ὁ ἀληθινὸς θεὸς καὶ ζωὴ αἰώνιος.
21 Τεκνία, φυλάξατε ἑαυτὰ ἀπὸ τῶν εἰδώλων.

맛싸성경

18 우리가 아는 것은 하나님께로부터 태어나진 자는 누구든지 죄를 (계속) 짓지 않으나 그리고 하나님께로부터 난 자는 그를 지키며 악한 자가 그를 건들지 않는다는 것이며 19 우리가 아는 것은 우리는 하나님께로부터 있는 자이며 또한 모든 세상은 악한 자안에서 놓여있다는 것이다. 20 우리가 아는 것은 하나님의 아들이 와 계시며 또한 우리에게 생각을 주셔서 우리가 참된 자를 알고 있게 하심이다. 또한 우리는 참된 자 그분의 아들 예수 그리스도 안에서 있으니 이분은 참되신 하나님이시며 영원한 생명이시다. 21 자녀들아! 우상들로부터 너희를 지켜라.

NET

18 We know that everyone fathered by God does not sin, but God protects the one he has fathered, and the evil one cannot touch him. 19 We know that we are from God, and the whole world lies in the power of the evil one. 20 And we know that the Son of God has come and has given us insight to know him who is true, and we are in him who is true, in his Son Jesus Christ. This one is the true God and eternal life. 21 Little children, guard yourselves from idols.

Ἰωάννου ἐπιστολὴ β΄

-요한이서-

요한이서는 요한일서와 유사한 주제를 다루지만, 좀 더 구체적인 내용을 담고 있습니다. 특히 교회 안에서 발생하는 문제들에 초점을 맞추고 있으며, 진실한 신앙과 거짓된 신앙을 구분하는 방법을 제시합니다. 요한이서는 진실한 신앙과 거짓된 신앙을 구분하는 데 도움을 주며, 믿음과 사랑을 실천하는 삶의 중요성을 강조합니다. 또한, 사도 요한은 교회 안의 문제들에 대해 경고하며, 그리스도인들이 경건하게 살아갈 수 있도록 지침을 제시합니다.

1 Westcott-Hort Greek NT

1 Ὁ πρεσβύτερος ἐκλεκτῇ κυρίᾳ καὶ τοῖς τέκνοις αὐτῆς, οὓς ἐγὼ ἀγαπῶ ἐν ἀληθείᾳ, καὶ οὐκ ἐγὼ μόνος ἀλλὰ καὶ πάντες οἱ ἐγνωκότες τὴν ἀλήθειαν,
2 διὰ τὴν ἀλήθειαν τὴν μένουσαν ἐν ἡμῖν καὶ μεθ' ἡμῶν ἔσται εἰς τὸν αἰῶνα.
3 ἔσται μεθ' ἡμῶν χάρις ἔλεος εἰρήνη παρὰ θεοῦ πατρὸς καὶ παρὰ Ἰησοῦ Χριστοῦ τοῦ υἱοῦ τοῦ πατρὸς ἐν ἀληθείᾳ καὶ ἀγάπῃ.
4 Ἐχάρην λίαν ὅτι εὕρηκα ἐκ τῶν τέκνων σου περιπατοῦντας ἐν ἀληθείᾳ, καθὼς ἐντολὴν ἐλάβομεν παρὰ τοῦ πατρὸς.

맛싸성경

1 원로는 선택된 귀부인과 그 여자의 자녀들에게 (쓴다). 그들은 내가 진리 안에서 사랑하는 자이며 그리고 나뿐만 아니라, 또한 진리를 아는 자들 모두들이다. **2** 우리 안에서 거하며, 또 우리와 함께 영원히 있을 진리를 인함이다. **3** 하나님 아버지로부터 그리고 아버지의 아들 예수 주님 예수 그리스도로부터 진리와 사랑 안에서 너희에게 진리와 긍휼, 평안이 있을 것이라. **4** 내가 매우 기쁜 것은 네 자녀들에게서부터 진리 안에서 걷고 있는 것을 내가 발견한 것이니, 아버지에게부터 우리가 받았던 명령과 같은 것이다.

NET

1 From the elder, to an elect lady and her children, whom I love in truth (and not I alone, but also all those who know the truth), **2** because of the truth that resides in us and will be with us forever. **3** Grace, mercy, and peace will be with us from God the Father and from Jesus Christ the Son of the Father, in truth and love. **4** I rejoiced greatly because I have found some of your children living according to the truth, just as the Father commanded us.

1 Westcott-Hort Greek NT

5 καὶ νῦν ἐρωτῶ σε, κυρία, οὐχ ὡς ἐντολὴν γράφων σοι καινὴν ἀλλὰ ἣν εἴχομεν ἀπ' ἀρχῆς, ἵνα ἀγαπῶμεν ἀλλήλους.
6 καὶ αὕτη ἐστὶν ἡ ἀγάπη, ἵνα περιπατῶμεν κατὰ τὰς ἐντολὰς αὐτοῦ· αὕτη ἡ ἐντολή ἐστιν, καθὼς ἠκούσατε ἀπ' ἀρχῆς, ἵνα ἐν αὐτῇ περιπατῆτε.
7 ὅτι πολλοὶ πλάνοι ἐξῆλθον εἰς τὸν κόσμον, οἱ μὴ ὁμολογοῦντες Ἰησοῦν Χριστὸν ἐρχόμενον ἐν σαρκί· οὗτος ἐστιν ὁ πλάνος καὶ ὁ ἀντίχριστος.
8 βλέπετε ἑαυτούς, ἵνα μὴ ἀπολέσητε ἃ εἰργασάμεθα ἀλλὰ μισθὸν πλήρη ἀπολάβητε.

맛싸성경

5 그리고 이제 나는 네게 구하노니, 귀부인이여! 새로운 것을 네게 명령한 것을 기록하는 것이 아니고, 처음부터 우리가 가지고 있었던 것인데, 우리가 서로 사랑하자는 것이다. 6 그리고 이것이 사랑이니, 우리는 그분의 명령들을 따라서 걷는 것이다. 이것이 명령이니, 우리가 처음부터 들은 것과 같이 너희는 그 안에서 걸을 것이라. 7 많은 미혹하는 자들이 세상으로 나왔으니, 예수 그리스도께서 육체로 오신 것을 고백하지 않는 자들이다. 이 사람이 미혹하는 자이며, 적그리스도이다. 8 너희는 경계하여 우리가 일한 것을 잃어버리지 않도록 하여, 오히려 너희는 충분한 보상을 받아라.

NET

5 But now I ask you, lady (not as if I were writing a new commandment to you, but the one we have had from the beginning), that we love one another. 6 (Now this is love: that we walk according to his commandments.) This is the commandment, just as you have heard from the beginning; thus you should walk in it. 7 For many deceivers have gone out into the world, people who do not confess Jesus as Christ coming in the flesh. This person is the deceiver and the antichrist! 8 Watch out, so that you do not lose the things we have worked for, but receive a full reward.

1 Westcott-Hort Greek NT

9 πᾶς ὁ προάγων καὶ μὴ μένων ἐν τῇ διδαχῇ τοῦ Χριστοῦ Θεὸν οὐκ ἔχει· ὁ μένων ἐν τῇ διδαχῇ, οὗτος καὶ τὸν πατέρα καὶ τὸν υἱὸν ἔχει.

10 εἴ τις ἔρχεται πρὸς ὑμᾶς καὶ ταύτην τὴν διδαχὴν οὐ φέρει, μὴ λαμβάνετε αὐτὸν εἰς οἰκίαν καὶ χαίρειν αὐτῷ μὴ λέγετε.

11 ὁ λέγων γὰρ αὐτῷ χαίρειν κοινωνεῖ τοῖς ἔργοις αὐτοῦ τοῖς πονηροῖς.

12 Πολλὰ ἔχων ὑμῖν γράφειν οὐκ ἐβουλήθην διὰ χάρτου καὶ μέλανος, ἀλλὰ ἐλπίζω γενέσθαι πρὸς ὑμᾶς καὶ στόμα πρὸς στόμα λαλῆσαι, ἵνα ἡ χαρὰ ὑμῶν πεπληρωμένη ᾖ.

13 Ἀσπάζεταί σε τὰ τέκνα τῆς ἀδελφῆς σου τῆς ἐκλεκτῆς.

맛싸성경

9 누구든지 죄를 지으면서(혹은 인도하면서) 그리스도의 가르침에도 거하지 않는 자는 하나님은 가지고 있지 않으니, 그리스도의 가르침에 거하는 자는 그와 그 아버지와 그 아들을 가지고 있다. 10 만일 누구든지 네게 와서, 이 가르침을 전하지 않으면, 그를 집으로 받아들이지 말것이니, 11 이는 그에게 인사를 말하는 자는 그의 악한 일들에 교제하고 있는 것이다. 12 너희에게 쓸 것은 많이 가지고 있으나, 종이와 잉크를 통하여 원하지 않고, 그러나 오히려 너희에게, 가기를 소망하니, 또 입으로 말하여, 너희 기쁨이 가득하게 되기를 원한다. 13 선택된 네 자매의 자녀들이 너에게 문안한다.

NET

9 Everyone who goes on ahead and does not remain in the teaching of Christ does not have God. The one who remains in this teaching has both the Father and the Son. 10 If anyone comes to you and does not bring this teaching, do not receive him into your house and do not give him any greeting 11 because the person who gives him a greeting shares in his evil deeds. 12 Though I have many other things to write to you, I do not want to do so with paper and ink, but I hope to come visit you and speak face to face so that our joy may be complete. 13 The children of your elect sister greet you.

Ἰωάννου ἐπιστολὴ γ´

-요한삼서-

요한삼서는 사도 요한이 가이오라는 사람에게 보낸 짧은 편지입니다. 요한삼서는 가이오와 데메트리오에 대한 칭찬과 디오트레페스에 대한 비난을 통해 진정한 그리스도인의 모습을 제시합니다. 또한, 가이오에게 계속 진리 안에 거하며 형제들을 사랑하고 선행을 행하도록 권면합니다. 짧은 편지지만, 그리스도인의 삶에 중요한 지침을 제시합니다.

1 Westcott-Hort Greek NT

1 Ὁ πρεσβύτερος Γαΐῳ τῷ ἀγαπητῷ, ὃν ἐγὼ ἀγαπῶ ἐν αληθείᾳ,

2 Ἀγαπητέ, περὶ πάντων εὔχομαί σε εὐοδοῦσθαι καὶ ὑγιαίνειν, καθὼς εὐοδοῦταί σου ἡ ψυχή.

3 ἐχάρην γὰρ λίαν ἐρχομένων ἀδελφῶν καὶ μαρτυρούντων σου τῇ ἀληθείᾳ, καθὼς σὺ ἐν ἀληθείᾳ περιπατεῖς.

4 μειζοτέραν τούτων οὐκ ἔχω χάριν, ἵνα ἀκούω τὰ ἐμὰ τέκνα ἐν τῇ ἀληθείᾳ περιπατοῦντα.

맛싸성경

1 원로는 사랑하는 가이오에게 (편지하는데) 그는 내가 진리 안에서 사랑하는 자이다. 2 사랑하는 자여! 모든 것에 대해서 형통하고 또한 건강하기를 내가 너를 위하여 기도하노니, 네 영혼(혹은 '인생')이 형통한 것과 같도다. 3 이는 내가 매우 기뻐하니 형제들이 와서 또 너의 진리를 증언하는데, 네가 진리 안에서 걷는 것이다. 4 이것보다 더 큰 기쁨을 나는 가지지 않았는데, 내가 내 자녀들이 진리 안에서 걷고 있다는 것을 듣는 것이라.

NET

1 From the elder, to Gaius my dear brother, whom I love in truth. 2 Dear friend, I pray that all may go well with you and that you may be in good health, just as it is well with your soul. 3 For I rejoiced greatly when the brothers came and testified to your truth, just as you are living according to the truth. 4 I have no greater joy than this: to hear that my children are living according to the truth.

1 Westcott-Hort Greek NT

5 Ἀγαπητέ, πιστὸν ποιεῖς ὃ ἐὰν ἐργάσῃ εἰς τοὺς ἀδελφοὺς καὶ τοῦτο ξένους,
6 οἳ ἐμαρτύρησάν σου τῇ ἀγάπῃ ἐνώπιον ἐκκλησίας, οὓς καλῶς ποιήσεις προπέμψας ἀξίως τοῦ θεοῦ·
7 ὑπὲρ γὰρ τοῦ ὀνόματος ἐξῆλθον μηδὲν λαμβάνοντες ἀπὸ τῶν ἐθνικῶν.
8 ἡμεῖς οὖν ὀφείλομεν ὑπολαμβάνειν τοὺς τοιούτους, ἵνα συνεργοὶ γινώμεθα τῇ ἀληθείᾳ.

맛싸성경

5 사랑하는 자들아! 만일 네가 형제들과 이방인들에게 행하는 것은 네가 신실한 것이니, 6 그들은 공회 앞에서 너의 사랑을 증언하였다. 하나님의 합당하심으로 보낸 자들에게 너희는 잘 대할 것이다. 7 이는 그들은 그(분의) 이름을 위하여 왔으나, 아무것도 민족에게서부터 받지 않았다. 8 그러므로 우리가 이들을 영접하는 것이 당연하니 우리가 진리에서 함께 동역자가 되고자 함이다.

NET

5 Dear friend, you demonstrate faithfulness by whatever you do for the brothers (even though they are strangers). 6 They have testified to your love before the church. You will do well to send them on their way in a manner worthy of God. 7 For they have gone forth on behalf of "The Name," accepting nothing from the pagans. 8 Therefore we ought to support such people so that we become coworkers in cooperation with the truth.

1 Westcott-Hort Greek NT

9 Ἔγραψα τι τῇ ἐκκλησίᾳ· ἀλλ' ὁ φιλοπρωτεύων αὐτῶν Διοτρέφης οὐκ ἐπιδέχεται ἡμᾶς.
10 διὰ τοῦτο ἐὰν ἔλθω, ὑπομνήσω αὐτοῦ τὰ ἔργα ἃ ποιεῖ λόγοις πονηροῖς φλυαρῶν ἡμᾶς, καὶ μὴ ἀρκούμενος ἐπὶ τούτοις οὔτε αὐτὸς ἐπιδέχεται τοὺς ἀδελφοὺς καὶ τοὺς βουλομένους κωλύει καὶ ἐκ τῆς ἐκκλησίας ἐκβάλλει.
11 Ἀγαπητέ, μὴ μιμοῦ τὸ κακὸν ἀλλὰ τὸ ἀγαθόν. ὁ ἀγαθοποιῶν ἐκ τοῦ θεοῦ ἐστιν· ὁ κακοποιῶν οὐχ ἑώρακεν τὸν θεόν.

맛싸성경

9 내가 교회에 썼으나, 그러나 디오트레페스는 그들 가운데 으뜸되기를 사랑한 자이나, 우리를 맞이하지 않았다. **10** 이런 이유로 만일 내가 가면, 그의 행동을 상기시킬 것이며 그가 우리들에게 악한 말들을 부당하게 고소하였고, 이것으로 충분하지 않아서, 그 자신이 형제들을 맞이하지 않았고, 그리고 원하는 자들을 금하였고, 또한 교회에서 그를 쫓아냈다. **11** 사랑하는 자들아! 악한 것을 본받지 말고, 선한 것을 (본받아라). 하나님께로부터 (온 자는) 선한 것을 행하는 자이다. 악을 행하는 자는 하나님을 보지 못한 것이다.

NET

9 I wrote something to the church, but Diotrephes, who loves to be first among them, does not acknowledge us. **10** Therefore, if I come, I will call attention to the deeds he is doing—the bringing of unjustified charges against us with evil words! And not being content with that, he not only refuses to welcome the brothers himself, but hinders the people who want to do so and throws them out of the church! **11** Dear friend, do not imitate what is bad, but what is good. The one who does good is of God; the one who does what is bad has not seen God.

1 Westcott-Hort Greek NT

12 Δημητρίῳ μεμαρτύρηται ὑπὸ πάντων καὶ ὑπὸ αὐτῆς τῆς ἀληθείας· καὶ ἡμεῖς δὲ μαρτυροῦμεν, καὶ οἶδας ὅτι ἡ μαρτυρία ἡμῶν ἀληθής ἐστιν.

13 Πολλὰ εἶχον γράψαι σοι ἀλλ' οὐ θέλω διὰ μέλανος καὶ καλάμου σοι γράφειν·

14 ελπίζω δὲ εὐθέως σε ἰδεῖν, καὶ στόμα πρὸς στόμα λαλήσομεν. εἰρήνη σοι. ἀσπάζονταί σε οἱ φίλοι. ἀσπάζου τοὺς φίλους κατ' ὄνομα.

맛싸성경

12 데메트리오는 모든 사람들에 의해서 증언하며, 또한 진리에 의해서, 그리고 또한 우리는 증언을 하니, 우리의 증언은 참된 것이라는 것을 너희는 알아왔다. 13 내가 너희에게 쓸 것이 많이 있었으나, 그러나 내가 너희에게 잉크를 통하여, 또 펜을 통하여 쓰기를 원하지 않았다. 14 그러나 내가 즉시로 너를 보기를 소망하고, 또한 입과 입으로 우리는 말할 것이다. 평안에 네게 있으라. 친구들이 네게 문안한다. 이름을 따라 친구들에게 너는 문안하라.

NET

12 Demetrius has been testified to by all, even by the truth itself. We also testify to him, and you know that our testimony is true. 13 I have many things to write to you, but I do not wish to write to you with pen and ink. 14 But I hope to see you right away, and we will speak face to face. Peace be with you. The friends here greet you. Greet the friends there by name.

Ἰούδα ἐπιστολή

- 유 다 서 -

유다서는 예수 그리스도의 형제 유다가 작성한 짧은 편지로, 거짓 교사들에 주의하고 믿음 안에 굳건히 서며 하나님의 사랑과 자비를 실천하는 삶을 살아야 한다는 메시지를 전합니다. 또한 그리스도인들은 하나님의 사랑 안에 거하며 진실한 신앙을 지켜야 한다는 것을 강조하며, 경건한 삶과 기도를 통해 하나님께 순종하고 서로 사랑할 것을 가르칩니다.

1 Westcott-Hort Greek NT

1 Ἰούδας Ἰησοῦ Χριστοῦ δοῦλος ἀδελφὸς δὲ Ἰακώβου, τοῖς ἐν θεῷ πατρὶ ἠγαπημένοις καὶ Ἰησοῦ Χριστῷ τετηρημένοις κλητοῖς·
2 ἔλεος ὑμῖν καὶ εἰρήνη καὶ ἀγάπη πληθυνθείη.

맛싸성경

1 유다는 예수 그리스도의 종이며, 또한 야고보의 형제로, 아버지로 사랑하심을 받고, 또 예수 그리스도로 지키심을 받은, 하나님 안에서 부르심 받은 자들에게 (편지한다). 2 긍휼하심과 평안과 사랑이 너희에게 가득해지기를 원한다.

NET

1 From Jude, a slave of Jesus Christ and brother of James, to those who are called, wrapped in the love of God the Father and kept for Jesus Christ. 2 May mercy, peace, and love be lavished on you!

1 Westcott-Hort Greek NT

3 Ἀγαπητοί, πᾶσαν σπουδὴν ποιούμενος γράφειν ὑμῖν περὶ τῆς κοινῆς ἡμῶν σωτηρίας ἀνάγκην ἔσχον γράψαι ὑμῖν παρακαλῶν ἐπαγωνίζεσθαι τῇ ἅπαξ παραδοθείσῃ τοῖς ἁγίοις πίστει.
4 παρεισεδύησαν γάρ τινες ἄνθρωποι, οἱ πάλαι προγεγραμμένοι εἰς τοῦτο τὸ κρίμα, ἀσεβεῖς τὴν τοῦ θεοῦ ἡμῶν χάριτα μετατιθέντες εἰς ἀσέλγειαν καὶ τὸν μόνον δεσπότην καὶ κύριον ἡμῶν Ἰησοῦν Χριστὸν ἀρνούμενοι.

맛싸성경

3 사랑하는 자들아! 모든 것들을 우리의 일반적인 구원에 대해서 모든 열정으로 너희에게 기록하기를 하려고 하였는데, 단번에 넘겨주셨던 거룩한 자들(성도)들의 믿음에 (대해서) 싸우도록 격려하면서 내가 너희에게 쓰려는 필요를 가졌다. 4 이는 몇몇 사람들이 가만히 들어왔고, 그들은 이 심판을 위하여 전에부터 기록되어진 자들로, 불경건한 자들이며, 우리 하나님의 은혜를 방탕으로 바꾸고 그리고 하나이신 주재 하나님과 또 우리 주님, 예수 그리스도를 부인하였다.

NET

3 Dear friends, although I have been eager to write to you about our common salvation, I now feel compelled instead to write to encourage you to contend earnestly for the faith that was once for all entrusted to the saints. 4 For certain men have secretly slipped in among you—men who long ago were marked out for the condemnation I am about to describe—ungodly men who have turned the grace of our God into a license for evil and who deny our only Master and Lord, Jesus Christ.

1 Westcott-Hort Greek NT

5 Ὑπομνῆσαι δὲ ὑμᾶς βούλομαι, εἰδότας ἅπαξ πάντα ὅτι κύριος λαὸν ἐκ γῆς Αἰγύπτου σώσας τὸ δεύτερον τοὺς μὴ πιστεύσαντας ἀπώλεσεν,
6 ἀγγέλους τε τοὺς μὴ τηρήσαντας τὴν ἑαυτῶν ἀρχὴν ἀλλὰ ἀπολιπόντας τὸ ἴδιον οἰκητήριον εἰς κρίσιν μεγάλης ἡμέρας δεσμοῖς ἀϊδίοις ὑπὸ ζόφον τετήρηκεν,
7 ὡς Σόδομα καὶ Γόμορρα καὶ αἱ περὶ αὐτὰς πόλεις τὸν ὅμοιον τρόπον τούτοις ἐκπορνεύσασαι καὶ ἀπελθοῦσαι ὀπίσω σαρκὸς ἑτέρας, πρόκεινται δεῖγμα πυρὸς αἰωνίου δίκην ὑπέχουσαι.

맛싸성경

5 그러나 내가 너희를 기억나도록 하기를 원하니 너희는 단번에 모든 것을 알았으니 주님께서 이집트에서부터 백성을 구원하셔서, 다음으로 믿지 않는 자들은 멸하셨으니, **6** 그리고 그들의 처음(지위)을 지키지 않았던 천사들, 그러나 자신의 거주지를 떠났으니, 큰 심판을 위하여 영원한 결박으로 어두움 아래에 가두었다. **7** 소돔과 고모라와 그리고 그들의 도시들도 같은 방법으로 빠졌고 그리고 다른 육체를 따라 갔으니, 심판하는 영원한 불로 형벌을 증거로 보여주었다.

NET

5 Now I desire to remind you (even though you have been fully informed of these facts once for all) that Jesus, having saved the people out of the land of Egypt, later destroyed those who did not believe. **6** You also know that the angels who did not keep within their proper domain but abandoned their own place of residence, he has kept in eternal chains in utter darkness, locked up for the judgment of the great Day. **7** So also Sodom and Gomorrah and the neighboring towns, since they indulged in sexual immorality and pursued unnatural desire in a way similar to these angels, are now displayed as an example by suffering the punishment of eternal fire.

1 Westcott-Hort Greek NT

8 Ὁμοίως μέντοι καὶ οὗτοι ἐνυπνιαζόμενοι σάρκα μὲν μιαίνουσιν κυριότητα δὲ ἀθετοῦσιν δόξας δὲ βλασφημοῦσιν,
9 ὁ δὲ Μιχαὴλ ὁ ἀρχάγγελος ὅτε τῷ διαβόλῳ διακρινόμενος διελέγετο περὶ τοῦ Μωϋσέως σώματος οὐκ ἐτόλμησεν κρίσιν ἐπενεγκεῖν βλασφημίας ἀλλὰ εἶπεν, Ἐπιτιμήσαι σοι κύριος.
10 οὗτοι δὲ ὅσα μὲν οὐκ οἴδασιν βλασφημοῦσιν ὅσα δὲ φυσικῶς ὡς τὰ ἄλογα ζῷα ἐπίστανται ἐν τούτοις φθείρονται.

맛싸성경

8 이와 같이 여전히 그리고 이들은 꿈을 꾸는 자이며, 참으로 육체를 더럽히며, 그리고 주권을 거절하고, 그러나 영광을 모독하였다. **9** 그러나 천사장 미가엘은 마귀와 논쟁하였고, 모세의 몸에 대하여 그는 논쟁을 하였는데, 모독(에) 심판을 가져올 것을 감히 말하지 못하였고, 그러나 그가 말하기를, '주께서 너를 책망하신다'고 그는 말했다. **10** 그러나 이 사람들은 그들이 모독하는 것을 또한 그러나 알지 못하는 자들이며, 본능적이며, 이성 없는 생명체들로 이해하며, 이런 것들로 멸망한다.

NET

8 Yet these men, as a result of their dreams, defile the flesh, reject authority, and insult the glorious ones. **9** But even when Michael the archangel was arguing with the devil and debating with him concerning Moses' body, he did not dare to bring a slanderous judgment, but said, "May the Lord rebuke you!" **10** But these men do not understand the things they slander, and they are being destroyed by the very things that, like irrational animals, they instinctively comprehend.

1 Westcott-Hort Greek NT

11 οὐαὶ αὐτοῖς, ὅτι τῇ ὁδῷ τοῦ Κάϊν ἐπορεύθησαν καὶ τῇ πλάνῃ τοῦ Βαλαὰμ μισθοῦ ἐξεχύθησαν καὶ τῇ ἀντιλογίᾳ τοῦ Κόρε ἀπώλοντο.
12 οὗτοι εἰσιν οἱ ἐν ταῖς ἀγάπαις ὑμῶν σπιλάδες συνευωχούμενοι ἀφόβως, ἑαυτοὺς ποιμαίνοντες, νεφέλαι ἄνυδροι ὑπὸ ἀνέμων παραφερόμεναι, δένδρα φθινοπωρινὰ ἄκαρπα δὶς ἀποθανόντα ἐκριζωθέντα,
13 κύματα ἄγρια θαλάσσης ἐπαφρίζοντα τὰς ἑαυτῶν αἰσχύνας, ἀστέρες πλανῆται οἷς ὁ ζόφος τοῦ σκότους εἰς αἰῶνα τετήρηται.

맛싸성경

11 화있도다! 그들은 가인의 길로 걸었고, 또 댓가를 위한 발람의 잘못된 길을 쏟아냈으며 그리고 또한 코레(고라)의 반역으로 망하였다. 12 이 사람들은 너희가 사랑하는 곳에서 함께 잔치하며 숨은 암초들이며, 겁이 없으며, 자신들만 돌아보며, 수증기 없는 구름이며, 바람으로 움직이며, 두 번 죽어 뿌리 뽑혀진 열매 없는 가을 나무이며, 13 바다의 사나운 파도이고, 자신들의 창피스러움을 뿜어내며, 방황하는 별들이며, 어두운 흑암에 영원히 갇혀져 있다.

NET

11 Woe to them! For they have traveled down Cain's path, and because of greed have abandoned themselves to Balaam's error; hence, they will certainly perish in Korah's rebellion. 12 These men are dangerous reefs at your love feasts, feasting without reverence, feeding only themselves. They are waterless clouds, carried along by the winds; autumn trees without fruit—twice dead, uprooted; 13 wild sea waves, spewing out the foam of their shame; wayward stars for whom the utter depths of eternal darkness have been reserved.

1 Westcott-Hort Greek NT

14 Ἐπροφήτευσεν δὲ καὶ τούτοις ἕβδομος ἀπὸ Ἀδὰμ Ἑνὼχ λέγων, Ἰδοὺ ἦλθεν κύριος ἐν ἁγίαις μυριάσιν αὐτοῦ.
15 ποιῆσαι κρίσιν κατὰ πάντων καὶ ἐλέγξαι πάντας τοὺς ἀσεβεῖς περὶ πάντων τῶν ἔργων ἀσεβείας αὐτῶν ὧν ἠσέβησαν καὶ περὶ πάντων τῶν σκληρῶν ὧν ἐλάλησαν κατ' αὐτοῦ ἁμαρτωλοὶ ἀσεβεῖς.
16 Οὗτοί εἰσιν γογγυσταὶ μεμψίμοιροι κατὰ τὰς ἐπιθυμίας αὐτῶν πορευόμενοι, καὶ τὸ στόμα αὐτῶν λαλεῖ ὑπέρογκα θαυμάζοντες πρόσωπα ὠφελείας χάριν.

맛싸성경

14 그러나 아담으로부터 7 번째인 에녹이 예언하여 말하였다. "보아라 주께서 그의 수천의 거룩한 자와 함께 오셨으니, 15 심판을 모든 자들에 대하여 행하시고, 또 모든 사람들(혹은 '영혼들')을 그들이 불경건하게 행한 그들의 불경건한 행위의 모든 일과 불경건한 죄인들이 그에 대해서 말하였던 거친 것들에 대하여 정죄하려 함이다." 16 이들은 불평하는 자들이며, 잘못만 찾는 자이며, 그들의 정욕들에 의하여 가는 자이며, 또 그의 입으로 교만하게 말하며, 이익을 위해서 면전에서 아부한다.

NET

14 Now Enoch, the seventh in descent beginning with Adam, even prophesied of them, saying, "Look! The Lord is coming with thousands and thousands of his holy ones, 15 to execute judgment on all, and to convict every person of all their thoroughly ungodly deeds that they have committed, and of all the harsh words that ungodly sinners have spoken against him." 16 These people are grumblers and fault-finders who go wherever their desires lead them, and they give bombastic speeches, enchanting folks for their own gain.

1 Westcott-Hort Greek NT

17 Ὑμεῖς δὲ ἀγαπητοί, μνήσθητε τῶν ῥημάτων τῶν προειρημένων ὑπὸ τῶν ἀποστόλων τοῦ κυρίου ἡμῶν Ἰησοῦ Χριστοῦ.
18 ὅτι ἔλεγον ὑμῖν Ἐπ' ἐσχάτου χρόνου ἔσονται ἐμπαῖκται κατὰ τὰς ἑαυτῶν ἐπιθυμίας πορευόμενοι τῶν ἀσεβειῶν.
19 Οὗτοί εἰσιν οἱ ἀποδιορίζοντες, ψυχικοί πνεῦμα μὴ ἔχοντες.

맛싸성경

17 그러나 너희 사랑하는 자들아! 우리 주 예수 그리스도의 사도들에 의해서 이전에 말한 말씀들을 기억하라! 18 그들이 너희에게 말하였다. "마지막 때에 조롱자들이 있을 것이니, 그들의 정욕에 의해서, 불경건함으로 오는 자들이다. 19 이 사람들은 분리하는 자들이며 세속적인 자들이며, 영(성령)은 가지고 있지 않는 자들이다."

NET

17 But you, dear friends—recall the predictions foretold by the apostles of our Lord Jesus Christ. 18 For they said to you, "At the end of time there will come scoffers, propelled by their own ungodly desires." 19 These people are divisive, worldly, devoid of the Spirit.

1 Westcott-Hort Greek NT

20 ὑμεῖς δὲ, ἀγαπητοί, ἐποικοδομοῦντες ἑαυτοὺς τῇ ἁγιωτάτῃ ὑμῶν πίστει, ἐν πνεύματι ἁγίῳ προσευχόμενοι,
21 ἑαυτοὺς ἐν ἀγάπῃ θεοῦ τηρήσατε προσδεχόμενοι τὸ ἔλεος τοῦ κυρίου ἡμῶν Ἰησοῦ Χριστοῦ εἰς ζωὴν αἰώνιον.
22 καὶ οὓς μὲν ἐλεᾶτε διακρινομένους, σῴζετε ἐκ πυρὸς ἁρπάζοντες,
23 οὓς δὲ ἐλέατε ἐν φόβῳ μισοῦντες καὶ τὸν ἀπὸ τῆς σαρκὸς ἐσπιλωμένον χιτῶνα.

맛싸성경

20 그러나 너희, 사랑하는 자들아, 너희 거룩한 믿음에 너희를 세워가며, 성령 안에서 기도하며, **21** 하나님의 사랑 안에서 너희를 지키고, 영생을 위하여(으로) 우리 중 예수 그리스도의 긍휼을 기다리라. **22** 그리고 참으로 의심하는 자들을 불쌍히 여기며, **23** 또 너희는 불에서부터 잡아서 그들을 구원하고, 또 육체로부터 더럽힌 옷을 미워하면서 너희는 그들을 두려움으로 불쌍히 여기라.

NET

20 But you, dear friends, by building yourselves up in your most holy faith, by praying in the Holy Spirit, **21** maintain yourselves in the love of God while anticipating the mercy of our Lord Jesus Christ that brings eternal life. **22** And have mercy on those who waver; **23** save others by snatching them out of the fire; have mercy on others, coupled with a fear of God, hating even the clothes stained by the flesh.

1 Westcott-Hort Greek NT

24 Τῷ δὲ δυναμένῳ φυλάξαι ὑμᾶς ἀπταίστους καὶ στῆσαι κατενώπιον τῆς δόξης αὐτοῦ ἀμώμους ἐν ἀγαλλιάσει,
25 μόνῳ θεῷ σωτῆρι ἡμῶν διὰ Ἰησοῦ Χριστοῦ τοῦ κυρίου ἡμῶν δόξα μεγαλωσύνη κράτος καὶ ἐξουσία πρὸ πάντος τοῦ αἰῶνος καὶ νῦν καὶ εἰς πάντας τοὺς αἰῶνας, ἀμήν.

맛싸성경

24 너희를 넘어지게 않게 보호하시는 그분께 그리고 너희를 큰 기쁨 안에 흠 없이 그분의 영광의 임재에 서게 (하실 그분께) **25** 우리 주 예수 그리스도를 통하여 유일한 우리의 구원자 하나님께 영광과 위엄, 주권과 권세가 영원이전부터, 그리고 지금 그리고 영원토록 있기를 (원하노라). 아멘

NET

24 Now to the one who is able to keep you from falling, and to cause you to stand, rejoicing, without blemish before his glorious presence, **25** to the only God our Savior through Jesus Christ our Lord, be glory, majesty, power, and authority, before all time, and now, and for all eternity. Amen.

왕초보 히브리어/헬라어 펜습자

알파벳 따라쓰기

저자 - 허동보

수현교회 담임목사
AP부모교육 국제지도자
왕초보 히브리어/헬라어 성경읽기 강사
Covenant University, CA. 통합과정 중

히브리어/헬라어, 어렵지 않습니다. 단지 익숙하지 않을 뿐입니다.

모든 언어는 문법보다 더욱 중요한 것이 있습니다. 바로 읽고 쓰는 것입니다.

기본에 충실합니다.

이 책은 단순합니다. 다른 알파벳 교재와 달리 읽고 쓰는 것에만 집중했습니다. 쓰는 순서, 자음과 모음의 발음, 읽는 방법 등 정말 기본적이고 기초적인 것에 집중을 했습니다.

남녀노소 누구나 할 수 있습니다.

모든 언어는 왕도가 없습니다. 처음에 말과 글을 배울 때 복잡한 문법부터 공부하는 사람은 없습니다. 이 책은 어린이, 청소년을 비롯하여 히브리어/헬라어에 관심만 있다면 모든 연령이 쉽게 배울 수 있도록 집필되었습니다.

다양한 미디어로 공부가 가능합니다.

책 속에는 노트가 더 필요한 분들이 직접 인쇄할 수있도록 QR코드를 제공하고 있습니다. 히브리어 알파벳송은 따라부를 수 있도록 영상 QR코드를 제공합니다. 그 외 다양한 미디어 학습을 체험하실 수있습니다.

정기구독신청서

20 년 월 일

신청인	이름		생년월일			
	주소					
	전화	자택	( ) -	출석교회		
		회사	( ) -	직 분	담임목사 / 목사 / 전도사 / 장로 / 권사 / 집사	
		핸드폰	( ) -	E-mail	@	
수취인	이름					
	주소					
	전화(자택)		회 사		핸드폰	
신청내용	신청기간	20 년 월 ~ 20 년 월				
	구독기간	☐ 1년 ☐ 2년 ☐ 3년				
	신청부수	부				
결제방법	카 드	· 카드종류: 국민, 비씨, 신한, 삼성, 롯데, 현대, 농협, 씨티, VISA, Master, JCB				
		· 카드번호: - - -	· 유효기간: /			
		· 소유주:	· 일시불/할부 개월			
	온라인					
	자동이체	CMS				
메모						

정기구독 문의 및 안내 070-4126-3496

월간 맛사